TANT QUE LE CAFÉ EST ENCORE CHAUD

Né en 1971, Toshikazu Kawaguchi est un dramaturge japonais. *Tant que le café est encore chaud* est d'ailleurs l'adaptation de sa pièce de théâtre qui a remporté le grand prix du 10e Festival dramatique de Suginami. Vendu à plus d'un million d'exemplaires au Japon, son roman est aujourd'hui un best-seller international.

TOSHIKAZU KAWAGUCHI

Tant que le café est encore chaud

ROMAN TRADUIT DU JAPONAIS PAR MIYAKO SLOCOMBE

ALBIN MICHEL

Titre original :

COFFEE GA SAMENAI UCHI NI
Publié par Sunmark Publishing, Inc., Tokyo, Japon, 2015.

ISBN : 978-2-253-94092-0 – 1re publication LGF

1
Les amoureux

— Bon, il faut que j'y aille…, bredouilla l'homme à voix basse, avant de se lever et d'attraper sa valise à roulettes.

— Quoi ?

La femme le regarda avec une grimace incrédule. Il n'avait pas parlé un seul instant de séparation, mais, si le petit ami avec qui vous sortez depuis trois ans vous donne rendez-vous sous prétexte qu'il a « quelque chose d'important » à vous dire, vous annonce de but en blanc qu'il part aux États-Unis pour son travail et que ce départ a lieu dans quelques heures, pas besoin d'entendre : « Il faut qu'on se sépare » pour deviner que ce « quelque chose d'important » est l'annonce d'une séparation. Même si vous aviez espéré qu'il s'agirait d'une demande en mariage.

— Qu'est-ce qu'il y a ? marmonna l'homme en évitant de regarder la femme dans les yeux.

Elle prit le ton inquisiteur qu'il avait en horreur :

— Tu peux m'expliquer ?

Le café où ils discutaient était en sous-sol, sans fenêtres. L'éclairage se réduisait à six lampes à abat-jour suspendues au plafond et à une applique murale près de l'entrée. Seule une horloge aurait permis de distinguer le jour de la nuit dans ce lieu constamment teinté d'une couleur sépia.

Mais les aiguilles des trois grandes horloges murales anciennes qui trônaient là indiquaient chacune une heure différente. Les clients qui entraient dans le café pour la première fois ignoraient si c'était délibéré ou si elles étaient déréglées, ils en étaient donc réduits à consulter leur propre montre.

L'homme ne fit pas exception à la règle et vérifia l'heure, avant de faire la moue en se grattant le sourcil droit.

— Ah, tu viens de faire la tête qui dit : « Quelle chieuse, celle-là », observa-t-elle d'un air exagérément offensé.

— Mais non.

— Mais si !

Elle se refusait à lui tendre la moindre perche. Il fit de nouveau la moue, détourna les yeux et garda le silence.

Agacée, elle le fusilla du regard.

— Tu attends que ce soit moi qui le dise, c'est ça ?

Puis elle tendit la main vers sa tasse de café froid. Il n'avait plus qu'un goût de liquide sucré, ce qui la déprima davantage.

L'homme consulta de nouveau sa montre. Avec le temps qui restait avant l'embarquement, il ne devait sans doute pas tarder à partir, et il se grattait le sourcil droit avec nervosité. Elle remarqua son agitation, en fut irritée et posa son café avec fureur. Tasse et soucoupe tintèrent bruyamment et le firent sursauter.

Il passa alors la main dans ses cheveux, prit une courte inspiration et se rassit lentement en face d'elle. Son air effrayé avait disparu.

Troublée, elle baissa les yeux et se concentra sur ses mains croisées sur ses genoux, afin d'éviter de le regarder.

L'homme était trop pressé pour attendre qu'elle relève la tête.

— Écoute…

Ce n'était plus la petite voix inintelligible de tout à l'heure. Le ton était plein d'assurance. Mais, comme pour empêcher ce qui allait suivre, elle lui lança négligemment, la tête toujours basse :

— Eh bien, va-t'en.

Quelques instants plus tôt, elle exigeait des explications, à présent elle les refusait. Pris au dépourvu, l'homme se figea, comme si le temps s'était arrêté.

— Il est l'heure, non ? ajouta-t-elle comme une enfant qui boude.

L'homme affichait une mine déconcertée, comme s'il n'avait pas tout à fait compris le sens de ses paroles. Elle sembla alors réaliser qu'elle avait pris un ton puéril et désagréable : elle détourna le regard d'un air gêné, se mordit les lèvres.

Sans un bruit, il quitta sa chaise et s'adressa à voix basse à la serveuse derrière le comptoir :

— Excusez-moi, je vais régler.

Il tendit le bras pour attraper l'addition, mais la femme posa sa main dessus.

— Je vais rester encore un peu, alors…

Avant qu'elle ne finisse sa phrase, il avait récupéré le ticket et se dirigeait vers la caisse.

— Les deux, s'il vous plaît.

— Laisse tomber, je te dis.

Toujours assise, elle tendait le bras vers lui. Mais il ne lui accorda même pas un regard et sortit un billet de mille yens de son portefeuille.

— Gardez la monnaie…

Après avoir remis le billet et l'addition à la serveuse, il tourna brièvement vers la femme son visage triste et il sortit en silence, tirant sa valise à roulettes derrière lui.

Ding-dong.

*

— Donc, ça, c'était il y a une semaine, dit Fumiko Kiyokawa, avant de s'avachir sur le plateau de la table comme une baudruche qui se dégonfle, tout en évitant adroitement la tasse de café posée devant elle.

La serveuse et la cliente assise au comptoir, qui l'écoutaient en silence, se regardèrent.

Fumiko venait de leur raconter en détail ce qui lui était arrivé huit jours plus tôt dans ce même café.

Quand elle était lycéenne, Fumiko avait appris six langues en autodidacte et, une fois sortie major de sa promotion à la prestigieuse université Waseda, avait intégré une grosse entreprise informatique de Tôkyô spécialisée dans le domaine médical. Dès sa deuxième année, elle était montée en grade et s'était vu confier projet sur projet. Elle était le type même de la femme active et dynamique.

Aujourd'hui, Fumiko rentrait sans doute du travail, à en juger par sa tenue banale : pantalon et chemise blanche sous une veste noire. Son physique en revanche était loin d'être standard : des yeux et un nez bien dessinés dignes d'une star de la pop, une petite bouche, un visage ovale tout en finesse et de splendides cheveux noirs mi-longs, si brillants qu'ils dessinaient une auréole lumineuse autour de sa tête. Même dissimulé par les vêtements, on devinait sans peine un joli corps bien proportionné. Tout le monde se retournait sur cette créature splendide qui paraissait surgie d'un magazine de mode.

Fumiko était l'archétype de la femme belle et intelligente. Mais elle n'en avait pas forcément conscience.

Elle se consacrait exclusivement à son travail. Bien sûr, elle avait eu des histoires d'amour, mais celles-ci ne la passionnaient pas autant que son travail, tout simplement.

« Je suis mariée à mon job », déclarait-elle pour repousser les avances de tous les hommes qui lui tournaient autour.

Celui qui était au café avec elle la dernière fois se nommait Gorô Katada. De trois ans son cadet, il travaillait comme ingénieur système pour une société médicale, comme Fumiko, mais de plus petite envergure. Trois ans plus tôt, ils s'étaient rencontrés alors qu'ils étaient en mission chez le même client, et Gorô était devenu son petit ami. Enfin, son ex-petit ami pour être exact.

Quand il avait convoqué Fumiko sous prétexte qu'il avait « quelque chose d'important » à lui dire, elle était arrivée vêtue d'une élégante robe rose pâle qui descendait jusqu'aux genoux, d'une veste de printemps beige, et chaussée d'escarpins blancs. Inutile de préciser que tous les hommes s'étaient retournés sur son passage.

Jusqu'alors pourtant, la garde-robe de Fumiko, qui ne vivait que pour son travail avant de sortir avec Gorô, ne comptait que des tailleurs. Or ses rendez-vous avec Gorô avaient souvent lieu à la sortie du bureau. Mais là, elle avait senti le caractère spécial de cette « chose importante » et, pleine d'espoir, elle s'était acheté cette nouvelle tenue.

Cependant, sur la devanture du salon de thé où ils avaient leurs habitudes, une affichette indiquait : « Fermeture exceptionnelle ». Ce salon de thé, où chaque table se trouvait dans un espace cloisonné, aurait été parfait pour parler d'une « chose importante », et leur déception à tous deux fut d'autant plus grande.

Alors qu'ils cherchaient une solution alternative, ils découvrirent une petite pancarte dans une ruelle déserte. Le café étant situé en sous-sol, ils n'avaient aucune idée de l'atmosphère à l'intérieur, mais le nom de l'établissement, qui faisait référence aux paroles d'une chanson qu'elle fredonnait quand elle était petite, séduisit Fumiko, et ils se résolurent à y entrer.

Ce fut pour le regretter aussitôt. L'endroit était plus exigu qu'elle ne l'avait imaginé. Le comptoir ne disposait que de trois tabourets, et les tables, au nombre de trois, étaient pour deux personnes. Le café ne pouvait donc pas accueillir plus de neuf clients. Il faudrait vraiment chuchoter pour que la « chose importante » qu'elle espérait ne soit pas entendue de tous. En plus, cet intérieur sépia éclairé par quelques lampes à abat-jour n'était pas du goût de Fumiko. On aurait dit un lieu où l'on se retrouve pour conclure un marché secret. Tout en balayant les lieux d'un regard extrêmement méfiant, elle s'était installée avec Gorô à la seule table libre.

On comptait trois clients en plus de la serveuse. À la table du fond, une femme vêtue d'une robe blanche à manches courtes lisait un livre en silence, tandis qu'à celle près de l'entrée, un type falot avait ouvert un magazine de voyages et prenait des notes dans un calepin. La femme installée au comptoir portait un débardeur rouge écarlate et un legging vert ; elle avait accroché sur le dossier de son tabouret une veste de kimono sans manches molletonnée et n'avait pas pris la peine d'enlever les bigoudis sur sa tête. De temps en temps, elle s'adressait à la serveuse et éclatait de rire. Seule cette femme aux bigoudis avait observé Fumiko et Gorô du coin de l'œil avec un sourire narquois tout au long de leur discussion.

*

Une semaine plus tard, donc, Fumiko racontait son histoire à la serveuse et à cette femme aux bigoudis, qui réagit à son récit par un « OK, je vois… », sans pour autant paraître convaincue.

La femme aux bigoudis s'appelait Yaeko Hiraï et on l'appelait toujours « Mlle Hiraï ». C'était une habituée qui venait de fêter ses trente ans et gérait un snack-bar dans le quartier. Elle passait toujours boire un café avant d'aller travailler. Tout comme la semaine précédente, elle avait ses bigoudis sur la tête, mais cette fois elle portait un bustier jaune, une minijupe rouge écarlate et un legging violet fluo. Assise en tailleur sur son tabouret, elle écoutait les propos de Fumiko, qui se leva et s'approcha de la serveuse, lui parlant par-dessus le comptoir :

— C'était il y a une semaine. Vous vous en souvenez, n'est-ce pas ?

L'air embarrassé, la serveuse acquiesça sans même regarder Fumiko. Elle s'appelait Kazu Tokita. C'était la cousine du patron du café, où elle travaillait tout en suivant les cours d'une école d'art. Le teint clair et les yeux en amande, elle avait de jolis traits toutefois dénués de toute personnalité. Si on la regardait une fois et qu'on fermait les yeux, son visage ne vous revenait pas immédiatement. C'était en gros quelqu'un d'effacé. Elle n'avait aucune présence. Mais comme Kazu était de celles qui ont la flemme de sympathiser avec des inconnus, cela ne lui avait jamais posé de problème d'avoir peu d'amis.

— Et ton copain, il est où, maintenant ?

Mlle Hiraï, visiblement peu intéressée, avait posé la question en tripotant sa tasse de café.

— Aux États-Unis, répondit Fumiko avec une expression contrariée.

— Il a choisi le travail, quoi.

La femme aux bigoudis venait de mettre le doigt là où ça fait mal, sans même regarder Fumiko, qui écarquilla les yeux.

— Non, ce n'est pas ça !

— Ben si, c'est ça, non ? Puisqu'il est parti aux États-Unis, répliqua Mlle Hiraï, surprise.

Fumiko s'obstina à nier :

— Vous n'avez pas compris, malgré les explications que je viens de vous donner ?

— Pas compris quoi ?

— Que c'est ma fierté qui m'a empêchée de lui dire : « Ne t'en va pas ! »

— Eh bien, devant nous, ça a l'air moins compliqué à dire.

— En somme, vous ne vouliez pas qu'il parte aux États-Unis ? demanda Kazu.

À sa manière, elle aussi avait touché le nœud du problème.

— Bien sûr, il y a de ça également, mais…

Alors que Fumiko minaudait, Mlle Hiraï la rembarra d'un « J'y comprends rien ». À sa place, elle aurait sûrement fondu en larmes et crié « Ne t'en va pas ! ». Pour de faux, bien entendu. Sa théorie ? Les pleurs sont une arme au service des femmes.

Fumiko tourna ses yeux étincelants vers Kazu derrière son comptoir.

— Quoi qu'il en soit, je veux que vous me fassiez retourner jusqu'à ce jour, il y a une semaine !

Elle paraissait sérieuse.

Quelques années plus tôt, ce café était en effet devenu célèbre grâce à une légende urbaine selon laquelle il vous faisait voyager dans le passé. À l'époque, Fumiko s'en fichait complètement et l'avait oublié. Si elle y était entrée la semaine précédente, c'était purement le fruit du hasard.

Mais la veille, alors qu'elle regardait distraitement une émission de variétés à la télévision, le présentateur avait parlé de « légende urbaine » et, à cet instant, le souvenir de ce café l'avait frappée comme un éclair. Elle ne se rappelait plus les détails, mais les mots-clés « café » et « retour dans le passé » lui étaient clairement revenus en mémoire.

Si je retournais dans le passé, je pourrais peut-être corriger le tir. Discuter de nouveau avec Gorô.

Les espoirs irréalistes qui tourbillonnaient dans son esprit lui avaient fait perdre la tête. Le lendemain matin, elle était partie travailler en oubliant de prendre son petit déjeuner et, obnubilée par l'heure qui tournait, elle n'était pas arrivée à se concentrer. Il lui fallait vérifier le plus vite possible. Elle s'était montrée si distraite que ses collègues lui avaient demandé si tout allait bien. Elle enchaînait les erreurs. Alors que l'heure de quitter le bureau approchait, l'impatience de Fumiko était à son comble.

Du bureau jusqu'au café, il fallait compter une demi-heure de train avec une correspondance. En sortant de la station la plus proche, elle courait presque. À peine entrée, hors d'haleine, elle s'était tournée vers Kazu. Avant même que celle-ci ait fini de prononcer « Bienvenue », elle lui avait lancé : « Faites-moi retourner dans le passé » et, dans son élan, avait raconté toute son histoire.

Mais si l'on pouvait vraiment retourner dans le passé, cela aurait dû être la bousculade. Or il n'y avait, comme la semaine précédente, que la femme en blanc, le type avec son magazine de voyages, Mlle Hiraï et Kazu. Elle s'inquiéta :

— C'est possible… n'est-ce pas ?

C'est peut-être par cette question qu'elle aurait dû commencer, mais il était trop tard.

— Alors ? Dites-moi.

Elle était tout près de Kazu, penchée au-dessus du comptoir. La serveuse détournait les yeux.

— Hein ? Euh, eh bien…, répondit-elle de façon vague.

Une étincelle d'espoir s'alluma dans le regard de Fumiko. Ce n'était pas un non. Elle n'avait pas dit non. Fumiko sentit son cœur s'emballer.

— Laissez-moi y retourner ! implora-t-elle avec une énergie qui lui aurait presque fait enjamber le comptoir.

— Et tu vas faire quoi, en y retournant ?

Impassible, Mlle Hiraï avait posé sa question en aspirant son café avec bruit.

— Je veux me rattraper !

Le regard de Fumiko était sincère.

— OK, je vois.

Hiraï haussa les épaules.

— S'il vous plaît !

La voix de Fumiko s'était élevée d'un cran et avait résonné dans tout le café.

Cela ne faisait pas longtemps que Fumiko pensait à la possibilité d'un mariage avec Gorô. Elle allait avoir vingt-huit ans et ses parents qui vivaient dans le Nord, à Hakodate, la pressaient régulièrement : « Pas de mariage en vue ? », « Il n'y a personne de bien autour de toi ? »… Depuis que sa petite sœur, qui approchait des vingt-cinq ans, s'était mariée l'an dernier, ils se faisaient encore plus insistants et lui envoyaient des mails au moins une fois par semaine. Elle avait également un petit frère de vingt-trois ans resté dans le Nord, mais la grossesse imprévue de sa copine l'avait contraint à l'épouser, et seule Fumiko n'était toujours pas casée.

Elle n'était pas particulièrement impatiente d'en finir avec le célibat, mais le mariage de sa sœur avait au moins provoqué chez elle une prise de conscience, et maintenant elle se disait que si c'était avec Gorô, elle pourrait tout à fait se marier.

Mlle Hiraï sortit une cigarette de sa pochette à motif léopard et l'alluma en prononçant sur un ton quasi administratif :

— Tu devrais lui expliquer, non ?

— Tu as raison, répondit Kazu d'une voix monocorde.

La serveuse fit le tour du comptoir, s'avança jusqu'en face de Fumiko et la regarda avec les yeux doux de quelqu'un qui console un enfant en larmes.

— Bon, écoutez-moi bien.

— Que... qu'y a-t-il ?

Fumiko se raidit.

— Vous pouvez effectivement retourner en arrière. Vous le pouvez, mais...

— Mais quoi ?

— Quoi que vous fassiez, ça ne changera pas le présent.

— Hein ? s'écria Fumiko, complètement prise au dépourvu.

— Même si vous retournez dans le passé et que vous déclarez vos sentiments à votre petit ami parti aux États-Unis...

— Oui ?...

— Le présent sera toujours identique...

— Quoi !?

Refusant d'écouter la suite, Fumiko se boucha les oreilles mais, sans la moindre hésitation, Kazu assena son verdict, implacable :

— Votre petit ami partira quand même.

Fumiko se mit à trembler de tout son corps. Kazu, impitoyable, poursuivait tranquillement ses explications :

— Même si vous lui dites franchement que vous ne voulez pas qu'il parte, peut-être qu'il l'entendra, mais ça ne changera pas la réalité.

— Ça ne sert à rien, alors ! hurla Fumiko.

— C'est pas une raison pour t'énerver contre elle.

Mlle Hiraï, qui semblait avoir deviné que la conversation prendrait cette tournure, était intervenue sur un ton détaché en fumant sa cigarette.

— Mais pourquoi ?

Fumiko implorait Kazu du regard.

— Eh bien…

Sa réponse s'acheva abruptement :

— … parce que c'est la règle.

En général, dans les films ou les romans qui traitent de voyage dans le temps, il est interdit de provoquer une action dans le passé qui aurait des conséquences sur le présent. En effet, si par exemple on empêche ses parents de se marier, voire de se rencontrer, les raisons de notre naissance n'existent plus et on disparaît.

C'était un paradigme courant dans de nombreux récits de science-fiction et Fumiko croyait bien sûr, elle aussi, que modifier le passé avait des conséquences sur le présent. C'était précisément pour ça qu'elle avait songé à retourner dans le passé pour se rattraper. Mais son désir s'avérait irréalisable.

Fumiko avait besoin d'une explication convaincante à cette règle invraisemblable selon laquelle « quelque effort qu'on fasse en retournant dans le passé, ça ne changera pas la réalité ». Mais Kazu s'était contentée de déclarer : « parce que c'est la règle ». Ce n'était pas par flemme ou par méchanceté. C'était juste la règle. Kazu ne devait pas en savoir davantage, elle non plus. C'est ce que semblait exprimer son visage indifférent.

Mlle Hiraï, qui observait Fumiko, lança gaiement « Dommage ! » avant de tirer une bouffée de la cigarette qu'elle savourait avec délice. Cette réplique la démangeait depuis le début.

Fumiko sentait ses forces l'abandonner.

— Mais enfin… ce n'est pas possible…

Alors qu'elle s'affaissait sur sa chaise, elle se souvint avec précision d'un article de revue qui présentait ce café. Le texte avait pour titre : « La vérité sur la légende urbaine du café qui vous fait voyager dans le passé », et son contenu était à peu près le suivant :

> *Le café s'appelle* Funiculi funicula. *Censé vous faire retourner dans le passé, il est devenu si célèbre qu'une longue file d'attente se forme devant tous les jours. Mais dans les faits, pratiquement personne n'a réussi à voyager dans le passé. En effet, pour pouvoir le faire, il faut accepter des règles contraignantes. Très, très contraignantes.*
>
> *La première est que même si on retourne dans le passé, on ne peut revoir que les personnes qui ont déjà mis les pieds dans ce café. Par conséquent, pour certains, l'opération n'a pas le moindre intérêt.*
>
> *Une autre règle est qu'en dépit de tous les efforts fournis, la réalité ne changera pas. Nous avons demandé au personnel de l'établissement les raisons d'une telle règle, mais la seule réponse que nous avons obtenue est : « On ne sait pas. »*

De plus, au cours de notre enquête, nous n'avons trouvé personne qui ait effectivement voyagé dans le temps.

Bref, nous n'avons pas pu vérifier si ce café permettait réellement de retourner dans le passé. Et même si c'était possible, quel intérêt si l'on ne peut changer le présent ? Voilà une légende urbaine amusante, mais il est difficile de trouver un intérêt à son existence même.

Ainsi concluait le journaliste. Une note précisait qu'il y avait encore d'autres règles, mais que les détails en demeuraient mystérieux.

Sortant de sa rêverie, Fumiko, accablée, trouva Mlle Hiraï assise en face d'elle, qui lui énumérait joyeusement les règles en question.

Fumiko fixait le sucrier devant ses yeux et écoutait vaguement en se demandant pourquoi, dans ce café, le sucre était en poudre et non pas en morceaux.

— Attends, ce n'est pas tout ! On ne peut retourner dans le passé que si on s'assoit à une place précise, et on n'a pas le droit de se déplacer…

Mlle Hiraï, qui comptait en même temps sur ses doigts, en était à la quatrième règle.

— Y a quoi d'autre, déjà ? demanda-t-elle à Kazu, occupée à essuyer des verres.

— La limite de temps.

— Une limite de temps ? répéta Fumiko en levant la tête, mais Kazu ne fit qu'acquiescer avec un léger sourire.

Hiraï tapota la table avec ses doigts.

— Franchement, après avoir entendu tout ça, y a quasiment personne qui veuille encore retourner dans le passé.

Elle semblait prendre un malin plaisir à observer Fumiko.

— Ça faisait longtemps que je n'avais pas vu de clientes comme toi, qui foncent sans se poser de questions et veulent retourner dans le passé alors qu'elles n'ont rien compris…

— Mademoiselle Hiraï !

Sans prêter aucune attention à Kazu, la femme aux bigoudis continuait de lancer ses piques :

— La vie, c'est pas si facile, ma vieille. Allez, oublie tout ça.

— Mademoiselle Hiraï !

Kazu avait haussé le ton, en vain.

— Laisse, il vaut mieux être franche, je dis ça pour elle… Tiens ?

C'était fini. Fumiko, à bout de forces, s'était de nouveau effondrée sur la table. Mlle Hiraï éclata de rire.

On entendit soudain :

— Un autre café !

L'homme qui avait étalé son magazine de voyages à la table la plus proche de l'entrée avait appelé Kazu.

— Oui, j'arrive…

Ding-dong.

— Bienvenue.

La voix de Kazu résonna dans la pièce et une femme entra. Elle portait une robe bleu ciel et un cardigan beige, des sneakers bleu foncé et un sac en toile blanc. Elle avait le teint clair et ses yeux ronds brillaient comme ceux d'une petite fille.

— Tout s'est bien passé pendant mon absence ?

— Oh, grande sœur !

C'est ainsi que Kazu avait l'habitude d'appeler Kei Tokita, l'épouse de son cousin.

— Ça y est, les fleurs de cerisier sont tombées, fit Kei.

Elle ne semblait pas plus attristée que ça et affichait un grand sourire.

— Oui, c'est la fin de la saison.

Kazu était toujours aussi laconique, mais, contrairement à tout à l'heure, une certaine douceur se dégageait de son visage.

— Coucou, toi ! fit Mlle Hiraï qui, visiblement lassée de taquiner Fumiko, retourna au comptoir pour discuter avec Kei.

— Tu reviens d'où ?

— De l'hôpital.

— Examen de routine ?

— C'est ça.

— T'as plutôt bonne mine, aujourd'hui.

— Oui, ça va.

Kei remarqua alors Fumiko, toujours avachie sur sa table. Elle la désigna du regard d'un air dubitatif, mais, comme Mlle Hiraï secouait la tête pour lui signifier de l'ignorer, elle se retira dans l'arrière-salle.

Ding-dong.

Un homme de grande taille surgit à l'entrée en baissant la tête pour éviter de se cogner. Il portait un blouson léger sur une veste blanche de cuisinier ainsi qu'un pantalon noir, et il tenait un trousseau de clés qui cliquetaient les unes contre les autres. C'était Nagare Tokita, le patron du café.

— Tout va bien ? demanda Kazu.

Nagare hocha la tête en guise de réponse, puis ses yeux en amande se tournèrent vers l'homme qui lisait son magazine. Il s'approcha et lui adressa doucement la parole :

— Monsieur Fusagi…

Le dénommé Fusagi leva les yeux lentement, comme s'il se demandait si on s'adressait bien à lui. Nagare fit un petit salut de la tête.

— Bonjour.

— Bonjour…

Le visage de l'homme demeura inexpressif et il replongea aussitôt dans son magazine. Nagare l'observa encore un moment, puis il appela Kazu qui était allée préparer du café.

— Oui ? fit-elle en sortant la tête de la cuisine.

— Tu peux passer un coup de fil à Mme Kôtake, s'il te plaît ?

Comme la serveuse affichait un air perplexe, il désigna du regard M. Fusagi et précisa :

— Elle le cherche.

— Ah, d'accord.

Kazu se retira dans l'arrière-salle pour passer l'appel.

Nagare se glissa derrière le comptoir en regardant du coin de l'œil Fumiko, qui avait l'air toujours aussi désemparée, et il se servit un verre de jus d'orange qu'il vida d'une traite. Alors qu'il disparaissait dans la cuisine pour le rincer, il entendit des ongles tapoter le comptoir.

C'était Mlle Hiraï qui lui faisait signe d'approcher. Sans prendre la peine de se sécher les mains, il alla vers elle de son pas lourd. Elle se pencha légèrement en avant, puis chuchota :

— Alors, c'était comment ?

Nagare fit « Hmm » en cherchant du papier essuie-tout. Sa réaction pouvait tout autant être une réponse à la question de Mlle Hiraï que le grognement de celui qui ne trouve pas de quoi s'essuyer les mains. Mlle Hiraï baissa encore davantage la voix :

— Les résultats des examens…

Nagare ne répondit pas à la question et se gratta le bout du nez.

— Ils n'étaient pas bons ? demanda-t-elle sur un ton inquiet.

— Cette fois-ci, ça ne sera pas la peine de l'hospitaliser, dit-il tout bas, le visage impassible.

— Bon…

Mlle Hiraï poussa un soupir discret et se tourna vers l'arrière-salle, où Kei s'était retirée. La femme de Nagare avait le cœur fragile depuis la naissance et devait régulièrement se faire hospitaliser. Cela n'altérait en rien sa nature sociable et insouciante et, même dans les moments douloureux, elle gardait le sourire. Mlle Hiraï savait que Kei était ainsi. C'est pourquoi elle s'adressait à son mari pour savoir comment s'étaient réellement passés les examens.

Celui-ci, qui avait trouvé de quoi s'essuyer les mains, changea de sujet :

— Et de ton côté, mademoiselle Hiraï ? Ça va ?

Sur le moment, elle ne saisit pas à quoi il faisait allusion.

— De quoi tu parles ?

— Ta petite sœur vient te voir de temps en temps, non ?

— Ah, oui…

— Ta famille tient une auberge, si je me souviens bien ?

— Oui, c'est ça.

Bien qu'il ne soit pas au courant des détails, Nagare savait que Mlle Hiraï s'était enfuie de chez elle, obligeant sa petite sœur à prendre la succession de l'auberge à sa place.

— Ça doit être dur pour ta petite sœur, si elle doit tout gérer seule…

— Oh, ne t'inquiète pas, elle est débrouillarde.

— Mais…

— De toute façon je ne peux plus rentrer, maintenant, fit-elle avec dédain.

Elle sortit de sa pochette à motif léopard son gros portefeuille épais comme un dictionnaire et chercha de la monnaie.

— Pourquoi tu dis ça ?

— Parce que même si je rentrais, je ne servirais à rien !

Nagare voulut répliquer, mais elle coupa court à la conversation :

— Merci pour le café !

Elle posa des pièces sur le comptoir et sortit comme pour prendre la fuite.

Ding-dong.

Alors que Nagare rassemblait l'argent laissé par Mlle Hiraï, Kazu s'adressa à lui depuis l'arrière-salle :

— Grand frère…

Même s'ils étaient cousins, c'est ainsi que Kazu préférait l'appeler.

— Oui ?

— Grande sœur t'appelle.

Nagare balaya le café du regard et confia à Kazu les pièces qu'il avait ramassées.

— J'ai eu Mme Kôtake, elle arrive tout de suite, lui fit-elle savoir.

Nagare hocha la tête.

— Je te laisse t'occuper des clients, dit-il avant de disparaître dans l'arrière-salle.

Il n'y avait pas grand monde dans le café : la femme plongée dans son roman, Fumiko affalée sur la table et le dénommé Fusagi qui feuilletait un magazine en prenant des notes.

Kazu rangea les pièces dans le tiroir-caisse et débarrassa la tasse de Mlle Hiraï.

L'une des trois vieilles horloges murales sonna cinq coups graves.

— Et mon café ? fit M. Fusagi en levant sa tasse.

— Oh…

Kazu avait complètement oublié de le resservir.

Elle courut à la cuisine et revint avec une carafe en verre remplie de café.

*

Soudain, Fumiko murmura :

— Je vais le faire quand même.

Elle se redressa d'un coup.

— Oui, je vais le faire quand même ! Même si ça ne change rien à la situation.

Elle se leva et s'avança d'un pas résolu vers Kazu, qui servait M. Fusagi. Celle-ci reposa doucement la tasse de café et recula de quelques pas en fronçant les sourcils. Fumiko s'avança encore, jusqu'à l'acculer.

— S'il vous plaît, faites-moi retourner une semaine en arrière !

Il n'y avait plus aucune hésitation dans sa voix, comme si désormais rien ne la retenait. Elle était peut-être simplement impatiente de pouvoir voyager dans le passé. Elle respirait bruyamment.

Décontenancée par une telle frénésie, Kazu se dégagea et alla se réfugier derrière le comptoir.

— Attendez, il y a une autre règle importante…

— Encore !? s'écria Fumiko en levant les yeux au ciel.

— Et d'ailleurs, c'est peut-être la règle la plus contraignante…

— Au point où j'en suis, je suis prête à tout…, dit Fumiko, qui avait semblé perdre courage un instant. Alors dites-moi.

La serveuse poussa un bref soupir et alla reposer la carafe transparente dans la cuisine. Fumiko, laissée seule, prit une profonde inspiration pour calmer son impatience.

À l'origine, elle voulait retourner dans le passé pour empêcher Gorô d'aller aux États-Unis. Le terme « empêcher » était certes un peu fort, mais, en lui avouant qu'elle ne voulait pas qu'il parte, elle espérait bien que son ex-petit ami abandonnerait son projet. Elle se disait qu'avec un peu de chance, la rupture serait évitée. En somme, si elle désirait retourner dans le passé, c'était pour *modifier le présent*.

Mais ça, ce n'était pas possible. On ne pouvait pas annuler le départ de Gorô pour les États-Unis, ni leur rupture. Pourtant, Fumiko était en proie à une furieuse envie d'essayer. Son cœur s'emballait à l'idée de faire cette étrange expérience. Était-ce une bonne ou une mauvaise chose ? De toute façon, elle n'avait rien à perdre.

Quand Kazu revint au comptoir, Fumiko avait retrouvé sa respiration normale. Elle avait le visage tendu d'un accusé qui attend son jugement.

La serveuse expliqua :

— Pour voyager dans le passé, il faut être assis à une place précise…

— Où ça ? Où est-ce que je dois m'asseoir ?

Fumiko tourna nerveusement la tête de tous les côtés.

Kazu avait les yeux fixés sur la femme en blanc.

— À cette place.

— Là où cette femme est assise ? murmura Fumiko en fixant à son tour la femme en blanc.

— Oui, fit Kazu, tandis que Fumiko s'avançait déjà vers la fameuse place.

La femme en blanc en question avait une peau diaphane qui contrastait avec sa longue chevelure noire, et elle ne donnait pas l'impression de respirer le bonheur. On avait beau être au printemps, il faisait encore un peu frisquet, pourtant elle n'était vêtue que d'une robe à manches courtes et elle ne semblait pas avoir de manteau. Fumiko trouvait cela un peu étrange, mais ce n'était pas le moment de se poser de telles questions.

— Excusez-moi, vous pourriez me céder votre place ?

Fumiko avait refréné son impatience et pensait s'être exprimée poliment. Mais la femme en blanc ne réagit pas. C'était comme si elle ne l'avait pas entendue. Fumiko se sentit un peu vexée mais elle se dit que, parfois, on pouvait être tellement plongé dans sa lecture qu'on n'entendait plus les voix qui nous entouraient. Elle retenta sa chance :

— Euh... Vous m'entendez ?

Toujours aucune réaction.

— Vous perdez votre temps, dit Kazu.

Fumiko ne s'attendait pas à ça. *Comment ça, je perds mon temps ? Je n'ai fait que demander qu'on me cède la place, pourquoi est-ce que je perds mon temps ? Parce que je demande poliment ? À moins que, là aussi, il n'y ait une règle à respecter ?*

De multiples pensées tournoyaient dans son esprit, mais ce fut finalement une question on ne peut plus banale qu'elle posa en regardant Kazu avec des yeux naïfs d'enfant :

— Pourquoi ?

— Parce que cette femme… est un fantôme.

Le ton était sérieux et ne laissait pas penser une seule seconde qu'il pouvait s'agir d'une plaisanterie. À nouveau, les pensées tournoyèrent dans l'esprit de Fumiko : *Un fantôme ? Genre ceux qui font « Ouuuh » ? Ceux qui surgissent l'été au pied des saules pleureurs ? Elle m'a dit ça d'un air tout à fait naturel, mais j'ai peut-être mal entendu ?* En pleine confusion, le cerveau de Fumiko travaillait à toute vitesse, mais, en dépit d'une intense réflexion, les seuls mots qui sortirent de sa bouche furent :

— Un fantôme ?

— Oui.

— C'est une blague ?

— Non, c'est la vérité.

Fumiko demeurait abasourdie. La question n'était pas de croire ou non aux fantômes. La présence de la femme en blanc assise sous ses yeux était bien trop réelle.

— Mais je la distingue clairement…, commença Fumiko.

— En effet, on la voit bien, confirma aussitôt Kazu.

— Mais…

Troublée, Fumiko approcha sa main de l'épaule de la femme.

— Vous pouvez la toucher, dit la serveuse, qui semblait habituée à ce genre de situation.

Afin de s'assurer de la véracité de ses dires, Fumiko posa sa main, et elle sentit clairement l'épaule et le tissu qui recouvrait la peau souple. Difficile de croire qu'elle avait affaire à un fantôme. Fumiko tourna vers Kazu un regard incrédule qui disait : « Regardez, je la touche, ça ne peut pas être un fantôme ! » Mais Kazu se contenta de répondre, avec son visage indifférent :

— C'est un fantôme.

Fumiko scruta le visage de la femme en blanc avec une insistance déplacée.

— Je ne peux pas le croire.

Fumiko ne pouvait accepter l'idée. Si la femme avait été visible à l'œil nu mais qu'on n'avait pas pu la toucher, passe encore. Là, non seulement on pouvait la toucher, mais en plus elle avait des jambes. Et elle lisait un livre qui paraissait tout à fait ordinaire. Le titre ne disait rien à Fumiko, mais on l'imaginait en vente dans n'importe quelle librairie. Fumiko envisagea alors une autre hypothèse.

Et si, en fait, il n'était pas possible de retourner dans le passé ? Ce café avait peut-être inventé toute l'histoire pour attirer la clientèle. Les multiples règles contraignantes étaient sûrement une première étape pour décourager les clients intéressés. Et, s'ils parvenaient à la franchir, on les effrayait avec cette histoire de fantôme. C'était la deuxième étape. La femme en blanc jouait la comédie. Si tout ça était un mensonge, Fumiko était bien décidée à le dévoiler. Elle ne serait pas tranquille tant qu'elle ne l'aurait pas fait. Alors elle s'adressa de nouveau à elle avec une grande politesse :

— Excusez-moi, vous pourriez me céder votre siège, juste un petit moment ?

Mais la femme resta plongée dans son livre, comme si la voix de Fumiko n'atteignait pas ses oreilles. Agacée, celle-ci lui saisit le bras.

— Dis donc ! Tu vas arrêter de m'ignorer !?

— Non, ne faites pas ça !

Passant outre à la mise en garde de Kazu, Fumiko lui tira le bras pour la forcer à se lever. La femme en blanc ouvrit alors grand les yeux et lui lança un regard foudroyant. Fumiko eut la sensation que son corps s'était alourdi d'un coup. Comme si une dizaine de futons lui étaient tombés dessus. Les lumières du café se mirent à vaciller comme des flammes de bougies et la pièce s'assombrit. Un gémissement sinistre sorti d'on ne sait où résonna dans la salle. Comme paralysée, Fumiko tomba sur les genoux et se retrouva à quatre pattes.

— Mais qu'est-ce que c'est ? Qu'est-ce qui m'arrive ?

Elle n'avait aucune idée de ce qui était en train de se produire. Kazu lui dit sur un ton blasé :

— C'est la malédiction.

— Quoi ? fit Fumiko d'une voix plaintive.

La force invisible pesait de plus en plus lourd et, ne pouvant résister plus longtemps, la jeune femme s'effondra sur le sol.

— Hein ? Quoi ? Qu'est-ce que c'est ? Qu'est-ce qui se passe ?

— Quand vous essayez de le déplacer de force, le fantôme vous lance une malédiction.

Sur ces explications, Kazu disparut dans la cuisine en laissant Fumiko par terre. Couchée à plat ventre, celle-ci ne pouvait pas la voir, mais, comme son oreille était collée contre le sol, elle l'avait clairement entendue s'éloigner. Saisie d'effroi, elle eut la sensation qu'on l'avait aspergée d'eau glacée.

— C'est une blague ? Mais qu'est-ce que je vais devenir ?

Aucune réponse. Son corps se mit à trembler. La femme en blanc fixait toujours Fumiko de son visage terrifiant. Rien à voir avec celle qui lisait sagement un livre un instant plus tôt.

Fumiko cria en direction de la cuisine :

— Au secours ! Aidez-moi !

Kazu revint avec une carafe en verre remplie de café. Fumiko percevait le bruit de ses pas qui se rapprochait. Elle se sentait complètement perdue. D'abord toutes ces règles, ensuite un fantôme, et maintenant une malédiction. La confusion atteignait son comble. En plus, Kazu ne disait rien, et c'était à se demander si elle avait vraiment l'intention de l'aider. Fumiko allait crier de nouveau « Au secours ! », quand elle entendit Kazu proposer sur un ton nonchalant :

— Je vous ressers du café ?

Fumiko s'agaça. Au lieu de l'aider, elle qui était terrifiée, Kazu l'ignorait et proposait tranquillement un autre café à la femme en blanc. *C'est vrai que j'ai eu tort de ne pas la croire quand elle m'a dit que c'était un fantôme. Et je n'aurais pas dû la tirer par le bras pour prendre sa place. Mais ce n'est pas une raison pour m'ignorer comme ça ! Un fantôme, ça n'a pas besoin d'un supplément de café !* En dépit de toutes ces réflexions, Fumiko ne put que prononcer les mots :

— J'espère que vous plaisantez !

Mais, l'instant d'après, elle entendit une voix cristalline dire : « Je veux bien, merci. » C'était la femme en blanc. Le corps de Fumiko retrouva aussitôt sa légèreté. La malédiction était conjurée. Haletante, elle se releva sur les genoux et lança un regard noir à Kazu, mais celle-ci inclina innocemment la tête sur le côté. La femme en blanc but une gorgée de café et replongea en silence dans son livre.

Encore troublée par ce qu'elle venait de vivre, Fumiko se releva, titubante, et s'appuya contre le comptoir.

— Alors, c'est vraiment un fantôme ? demanda-t-elle, le regard inquiet, à Kazu qui était allée reposer la carafe dans la cuisine comme si de rien n'était.

Celle-ci se contenta d'un oui laconique et entreprit de remplir le sucrier posé sur le comptoir. L'expérience totalement inédite que venait de vivre

Fumiko n'était pour elle qu'un fait anodin, comparable au remplissage d'un sucrier.

Ce qui venait d'arriver à Fumiko était invraisemblable. Mais si ce fantôme et cette malédiction étaient réels, alors la possibilité de voyager dans le passé l'était peut-être aussi ?

En même temps, le siège qui permettait de le faire était occupé par un fantôme qui ne voulait rien entendre. Si on essayait de prendre sa place de force, il vous lançait une malédiction. Que fallait-il donc faire ?

— La seule solution, c'est d'attendre, dit Kazu, comme si elle lisait dans ses pensées.

— Comment ça ?

— Elle va systématiquement aux toilettes une fois par jour.

— Les fantômes vont aux toilettes ?

Kazu hocha la tête.

— Dès qu'elle y va, il faut prendre sa place.

C'était apparemment la seule solution. Quant aux besoins naturels des fantômes, Kazu ne daigna pas répondre.

Fumiko prit une profonde inspiration. Pas question d'abandonner maintenant. Il fallait tirer profit du peu qu'on lui offrait.

— D'accord… Eh bien, je vais attendre, s'il le faut !

— Mais je vous préviens, elle ne fait pas de distinction entre le jour et la nuit.

— D'accord, d'accord…

Au point où elle en était, Fumiko s'en fichait.

— Le café est ouvert jusqu'à quelle heure ?

— En principe jusqu'à vingt heures, mais si vous comptez attendre, vous pouvez rester autant que vous voulez.

— OK !

Fumiko s'installa bruyamment à la table du milieu, de manière à se trouver face à la femme en blanc. Elle croisa les bras et la défia d'un « Tu vas voir de quoi je suis capable ! ». Elle lui jetait des regards menaçants et respirait fort par le nez, mais la femme en blanc, elle, continuait de lire tranquillement son livre.

Kazu poussa un bref soupir.

Ding-dong.

Une femme, probablement âgée d'un peu plus de quarante ans, entra.

— Ah, madame Kôtake…

« Mme Kôtake » portait une tenue d'infirmière sous un gilet bleu foncé et un sac en bandoulière plutôt sobre. Elle avait dû venir en courant, car elle était un peu essoufflée et essayait de reprendre une respiration normale en mettant la main sur sa poitrine.

— Merci de m'avoir appelée ! dit-elle à Kazu avant de s'avancer vers M. Fusagi, qui n'avait pas remarqué sa présence.

— Monsieur Fusagi, l'appela-t-elle d'une voix douce, comme si elle parlait à un enfant.

L'homme, qui n'avait visiblement pas compris qu'on s'adressait à lui, ne réagit pas tout de suite, mais il finit par lever la tête.

— Madame Kôtake, murmura-t-il, étonné, en la reconnaissant.

— Oui, c'est bien moi, répondit-elle d'une voix claire.

— Qu'est-ce qui vous amène ?

— J'étais en pause et j'ai eu envie d'un café...

— Ah, très bien, dit M. Fusagi avant de replonger dans sa lecture.

Mme Kôtake s'installa l'air de rien sur le siège en face de lui, mais il ne lui prêta pas attention et continua de tourner les pages du magazine.

— Alors, comme ça, vous venez souvent ici ? demanda-t-elle en promenant les yeux sur le café comme si elle découvrait les lieux pour la première fois.

— Oui, lâcha M. Fusagi pour toute réponse.

— Vous appréciez cet endroit ?

— Oh, ce n'est pas ça, mais...

Pourtant, M. Fusagi avait l'air de bien aimer ce café. Il esquissa un sourire avant d'ajouter d'une petite voix :

— J'attends.

— Quoi donc ?

Il se tourna vers la table où était assise la femme en blanc et souffla, avec le visage rayonnant d'un petit garçon :

— Que cette place se libère...

Le café n'étant pas très grand, Fumiko avait entendu malgré elle la conversation. En apprenant que cet homme attendait la même chose qu'elle, elle laissa échapper un cri de stupeur. Mme Kôtake lui jeta un coup d'œil, mais M. Fusagi, lui, ne réagit pas.

Fumiko était troublée. Un rival venait-il d'entrer en scène ? S'ils avaient tous les deux le même objectif, Fumiko était désavantagée. Car lorsqu'elle avait fait irruption dans le café, l'homme était déjà là. Elle n'était pas du genre à griller la priorité aux gens. En même temps, elle voulait retourner dans le passé le plus vite possible et, sachant que la femme en blanc n'allait qu'une fois par jour aux toilettes, l'idée de devoir patienter un jour de plus lui était insupportable. La situation prenait décidément une tournure inattendue.

Pour en avoir le cœur net, Fumiko tendit l'oreille sans vergogne.

— Vous n'avez donc pas pu vous asseoir là-bas, pour le moment ? poursuivit Mme Kôtake.

— Non, je n'ai pas réussi.

— Ah, c'est dommage.

— Oui…

La discussion confirmait les craintes de Fumiko, qui grimaça. Pas d'erreur. L'homme attendait que la femme en blanc aille aux toilettes. Le choc fut trop violent pour Fumiko. Le désespoir se peignit sur son visage et elle s'affala de nouveau sur sa table.

Le couple poursuivait tranquillement sa discussion :

— Que voulez-vous faire en retournant dans le passé, monsieur Fusagi ? Y a-t-il quelque chose que vous voudriez recommencer ?

— Eh bien…

M. Fusagi réfléchit un peu, puis il reprit sur un ton enfantin.

— Oui, mais c'est un secret.

Il ne voulait pas lui en dire plus, pourtant Mme Kôtake semblait ravie. Elle jeta un regard vers le siège de la femme en blanc.

— Mais peut-être qu'aujourd'hui, elle n'ira plus aux toilettes, fit-elle remarquer.

Fumiko releva la tête avec une telle vigueur que le mouvement produisit presque un son. Elle n'irait plus aux toilettes aujourd'hui ? Comment une telle chose serait-elle possible ? Kazu avait dit que le fantôme y allait toujours une fois par jour. L'infirmière sous-entendait-elle qu'elle avait déjà fait ses besoins aujourd'hui ? Non, ce n'était pas possible. Ça ne pouvait pas être possible. Fumiko pria pour que M. Fusagi la contredise. Mais il abonda dans le sens de Mme Kôtake par un « Oui, peut-être ».

Ce n'est pas vrai ! Fumiko faillit hurler, mais elle était sans voix. Pourquoi la femme en blanc n'irait-elle plus aux toilettes aujourd'hui ? Qu'en savait cette Mme Kôtake ? Fumiko voulut lui poser la question, mais le couple était comme dans une bulle qu'on n'osait pas faire éclater. Mme Kôtake émettait de tout son corps des signaux qui disaient : « Que personne ne nous dérange. » Fumiko n'avait aucune idée de la raison pour laquelle Mme Kôtake ne voulait pas être dérangée. Mais il y avait bien quelque chose qui empêchait toute personne extérieure de s'immiscer dans leur conversation, et Fumiko, impuissante, ne savait que faire.

Soudain, l'infirmière proposa d'une voix douce à M. Fusagi :

— Bon, et si on rentrait ?

La chance tournait-elle soudain en faveur de Fumiko ? Elle attendit nerveusement la réponse de l'homme en essayant de ne pas nourrir trop d'espoir. De tout son être, elle était à l'écoute de ce qu'il allait dire, comme si son corps tout entier s'était transformé en oreille.

M. Fusagi jeta un coup d'œil vers la femme en blanc, réfléchit un instant, puis répondit « Oui, d'accord » avec une telle simplicité que Fumiko en fut déconcertée. Elle sentit rapidement l'excitation monter. Son cœur battait la chamade.

— Dès que vous aurez fini votre café, alors, dit Mme Kôtake en regardant la tasse encore à moitié pleine, mais M. Fusagi s'était apparemment mis en tête de rentrer.

— Non, on peut y aller tout de suite. De toute façon, il a refroidi…

Sur ces mots, il rangea avec des gestes maladroits son magazine, son calepin et son crayon. Il se leva ensuite pour enfiler son blouson avec un col en polaire, comme ceux que portent les ouvriers du bâtiment, et il se dirigea vers la caisse.

Kazu prit l'addition que lui tendait M. Fusagi.

— Je vous dois combien ? demanda-t-il.

Kazu pianota sur les touches de la vieille caisse enregistreuse. M. Fusagi fouilla dans son porte-documents, dans sa poche de poitrine, dans ses poches arrière, et il finit par dire tout bas : « Mon portefeuille… » L'avait-il oublié quelque part ? Il continuait de chercher aux mêmes endroits, en vain, et on aurait dit qu'il allait se mettre à pleurer.

— Tenez…

Mme Kôtake lui tendait un portefeuille. C'était un modèle pour homme en cuir à deux volets, bourré de reçus et assez usé. M. Fusagi resta planté un moment à le contempler. Ce n'est pas qu'il hésitait à le prendre. Il le regardait simplement d'un air absent.

Il finit par l'accepter sans dire un mot, puis il redemanda à Kazu « Je vous dois combien ? » en cherchant des pièces, comme s'il ne s'était rien passé.

— Ça fera 380 yens.

M. Fusagi sortit une pièce et la tendit à Kazu.

— Vous m'avez donné 500 yens, je vous dois donc…

Elle pianota sur les touches de la caisse, puis fit tinter des pièces dans le tiroir.

— Et voici 120 yens, dit-elle en posant la monnaie et le ticket dans la paume de M. Fusagi avec des gestes délicats.

— Merci pour le café…

L'homme rangea soigneusement la monnaie dans son portefeuille, qu'il glissa dans son porte-documents. Et, comme s'il avait oublié l'existence de Mme Kôtake, il se dirigea avec empressement vers la sortie.

Ding-dong.

L'infirmière ne sembla pas désarçonnée le moins du monde et, après avoir remercié Kazu, elle sortit à son tour pour le rattraper.

Ding-dong.

— Ils sont bizarres, ces deux-là, dit Fumiko tout bas.

À présent qu'elle était seule avec la femme en blanc, elle avait la certitude d'avoir gagné. *Maintenant que mon rival est écarté, je n'ai plus qu'à attendre que la place se libère…*

Comme les lieux étaient dépourvus de fenêtres et que les trois horloges murales indiquaient chacune une heure différente, dès qu'il n'y avait plus d'allées et venues de clients, on perdait la notion du temps. Fumiko, qui commençait à avoir sommeil, se répétait les règles pour retourner dans le passé.

Première règle : même en retournant dans le passé, on ne peut pas rencontrer de personne qui ne soit jamais venue dans ce café. Le hasard avait voulu que Fumiko parle rupture avec Gorô ici même.

Deuxième règle : une fois dans le passé, même en faisant tous les efforts du monde, la réalité ne change pas. Ainsi, même si Fumiko retournait à ce jour, une semaine auparavant, et qu'elle suppliait Gorô de rester, il partirait quand même aux États-Unis. Fumiko déplorait cette règle, mais, comme c'était la règle, elle ne pouvait rien y faire.

Troisième règle : pour retourner dans le passé, il faut être installé à une place en particulier. Celle où est actuellement assise la femme en blanc. Par ailleurs, si on essaie de la déplacer de force, elle vous lance une malédiction.

Quatrième règle : même si on retourne dans le passé, on ne peut pas bouger de sa chaise. Pendant qu'on est dans le passé, on ne peut donc même pas aller aux toilettes.

Cinquième règle : il y a une limite de temps. D'ailleurs, Fumiko ne connaissait pas les détails de cette règle. Elle ignorait si cette limite était courte ou longue.

Les mêmes questions revenaient sans cesse dans son esprit. Cela avait-il vraiment un sens de retourner dans le passé ? En même temps, si de toute façon ça ne changeait rien à la réalité, c'était peut-être l'occasion de dire à Gorô tout ce qu'elle avait sur le cœur.

Fumiko finit par s'endormir sur la table.

*

C'était lors du troisième rendez-vous qu'elle avait proposé à Gorô, alors qu'ils ne sortaient pas encore ensemble, que celui-ci lui avait parlé de son rêve d'avenir. Gorô était ce qu'on appelle un geek. Il avait une prédilection pour les MMORPG (*massively multiplayer online role-playing game*, « jeu de rôle en ligne multijoueur »), et son oncle était l'un des développeurs du jeu « Arm of Magic », un

MMORPG mondialement connu. Gorô admirait cet oncle depuis l'enfance, et son rêve était d'intégrer TIP-G, son entreprise de jeux vidéo. Mais, pour postuler au concours de recrutement, il fallait justifier d'une expérience d'au moins cinq ans comme ingénieur système dans le domaine médical et développer soi-même le programme d'un nouveau jeu vidéo non commercialisé. De nos jours, les petites imperfections ont tendance à être tolérées dans de nombreux jeux vidéo en ligne, car il est possible de les mettre à jour après leur sortie. En revanche, dans le domaine médical, étant donné que des vies humaines sont en jeu, les ingénieurs n'ont pas droit à l'erreur. Chez TIP-G, on ne recrutait que des candidats riches d'une expérience dans ce domaine, afin de réunir les meilleurs programmeurs. Fumiko avait trouvé le rêve de Gorô formidable. Ce qu'elle ignorait, c'est que le siège de TIP-G se trouvait aux États-Unis.

Lors de son septième rendez-vous avec Gorô, alors qu'elle était en train de l'attendre, Fumiko avait été abordée par deux inconnus. Les deux hommes étaient plutôt beaux gosses, mais elle ne leur prêta pas la moindre attention. Elle avait l'habitude des dragueurs et elle savait comment s'en débarrasser. Gorô, qui était arrivé entre-temps et avait assisté à la scène, était resté planté là comme un piquet. Fumiko accourut vers lui, mais les deux types le considérèrent avec mépris et reprirent leur drague de plus belle, lui assurant qu'une fille comme elle n'avait rien à faire avec un blaireau pareil. Alors que

Gorô demeurait silencieux, tête baissée, Fumiko se tourna vers les dragueurs et leur assena :

— (En anglais :) Vous ne pouvez pas comprendre son charme. (En russe :) Il n'a pas peur d'affronter les difficultés dans son travail. (En français :) Il a un mental d'acier et il n'abandonne jamais. (En grec :) Il est capable de rendre possible l'impossible. (En italien :) Je sais qu'il a fourni des efforts exceptionnels pour pouvoir acquérir ces compétences. (En espagnol :) Il n'existe pas, à ma connaissance, d'homme plus séduisant que lui.

Enfin, elle conclut en japonais :

— Si vous avez compris ce que je viens de dire, je veux bien vous suivre.

Les deux hommes, qui étaient demeurés interdits, se regardèrent et s'en allèrent la queue entre les jambes.

Fumiko se tourna vers Gorô avec un grand sourire.

— Toi, évidemment, tu as tout compris, n'est-ce pas ? dit-elle en portugais, langue qu'elle venait d'apprendre.

Gêné, Gorô eut un petit hochement de tête.

À leur dixième rendez-vous, Gorô avait avoué à Fumiko qu'il n'était jamais sorti avec une fille.

— Tu veux dire que je suis la première ? avait-elle répondu d'un air enjoué.

En réalisant ce que Fumiko venait de sous-entendre, Gorô avait ouvert grand les yeux. C'était donc à ce moment-là qu'ils avaient commencé à sortir ensemble.

Fumiko dormait depuis un moment dans le café. Soudain, la femme en blanc ferma son livre, poussa un soupir, sortit de son petit sac à main blanc un mouchoir de la même couleur, puis elle se leva lentement, sans un bruit, pour se diriger vers les toilettes.

Fumiko ne s'était rendu compte de rien et continuait à dormir. Kazu sortit de l'arrière-salle. Le café était visiblement encore ouvert, car la serveuse était toujours en tenue de travail : chemise blanche, nœud papillon noir, gilet, pantalon noir et tablier de sommelier.

Tout en débarrassant la table de la femme en blanc, elle appela Fumiko :

— Mademoiselle… mademoiselle !

— Oui !?

Surprise, Fumiko se redressa d'un coup. Elle battit des paupières et promena ses yeux encore endormis sur le café d'un air hagard, avant de se rendre compte que quelque chose avait changé en face d'elle. La femme en blanc n'était plus là.

— La place s'est libérée. Vous voulez y aller ?

— B… bien sûr !

Fumiko se leva et se pressa vers le siège qui était censé la faire voyager dans le passé. Elle observa la chaise dans ses moindres détails. À première vue, c'était un siège tout à fait ordinaire. Son pouls s'accéléra. Après avoir surmonté l'épreuve des innombrables règles et celle de la malédiction, elle obtenait enfin son ticket pour voyager dans le passé.

— Ça y est, je vais pouvoir retourner une semaine en arrière…

Fumiko prit une grande inspiration. Essayant de maîtriser son cœur qui s'emballait, elle se glissa lentement entre la table et la chaise. À l'idée qu'à l'instant où elle poserait les fesses dessus, elle se retrouverait la semaine précédente, Fumiko sentit sa nervosité et son excitation atteindre leur comble. Elle se laissa tomber sur le siège et cria :

— Allez, qu'on m'envoie une semaine en arrière !

Le cœur rempli d'espoir, elle regarda autour d'elle. Sans fenêtres, impossible de savoir si on était le jour ou la nuit. Et elle n'avait aucune idée de l'heure exacte. Bon sang, quelque chose avait bien dû changer ! Fumiko chercha désespérément une preuve qu'elle était revenue dans le passé. Mais elle ne relevait aucune différence. Gorô n'était nulle part.

J'ai peut-être été naïve de croire qu'une chose aussi irréaliste serait possible… Fumiko, dans tous ses états, remarqua soudain que Kazu était debout à côté d'elle avec un plateau d'argent. Une bouilloire argentée et une tasse à café d'un blanc immaculé étaient posées dessus.

— Dites donc ! Ça ne marche pas, votre truc !

Fumiko avait haussé le ton malgré elle, mais Kazu demeura impassible.

— Il y a une autre règle.

— Encore une ?

Fumiko, exaspérée, était en même temps soulagée d'apprendre que tout n'était pas encore perdu.

Kazu poursuivit ses explications :

— Je vais à présent vous servir un café, dit-elle en posant la tasse devant la jeune femme.

— Du café ? Pourquoi du café ?

— Une fois que cette tasse sera remplie, vous pourrez voyager dans le passé…

Kazu était toujours imperturbable. C'est vraiment pousser un peu loin la désinvolture ! se dit Fumiko.

— Et il faudra que vous reveniez avant que le café ne refroidisse.

Fumiko blêmit.

— Attendez, c'est aussi court que ça ?

— C'est la dernière règle, de la plus haute importance.

Cela ne s'arrêtait donc jamais. Mais Fumiko semblait s'être fait une raison, elle soupira : « Des règles, encore des règles… » en avançant la main vers la tasse posée devant elle. C'était une tasse à café tout à fait banale, mis à part le fait qu'elle semblait plus froide au toucher qu'une porcelaine ordinaire.

Kazu poursuivit :

— Écoutez-moi bien. Quand vous serez dans le passé, il faudra finir votre café avant qu'il ne soit complètement froid…

— Quoi ? Mais le café, ce n'est pas trop mon truc…

Kazu approcha son visage du nez de Fumiko et lui dit d'une voix grave, en écarquillant les yeux :

— Vous devez absolument respecter cette règle.

— Ah bon ?

— Sinon, il vous arrivera une chose terrible…

— Quoi ? Comment ça ?

Fumiko était complètement désarçonnée. Bien sûr, elle avait conscience que voyager dans le passé comportait une part de risque. Il s'agissait tout de même d'aller à l'encontre des lois de la nature. Mais c'était comme si un gouffre s'était ouvert devant elle juste avant la ligne d'arrivée. En même temps, il n'était pas question d'abandonner alors qu'elle était venue jusqu'ici. Fumiko regarda Kazu craintivement.

— Une chose terrible, c'est-à-dire ?

— Si vous ne finissez pas votre café tant qu'il est chaud…

— Si je ne le finis pas… ?

— Vous deviendrez un fantôme et vous resterez assise ici à jamais.

La foudre s'abattit sur Fumiko.

— Quoi ?

— Pour tout vous dire, la femme qui était assise ici tout à l'heure…

— Elle n'a pas respecté cette règle ?

— Non… Elle était retournée dans le passé pour voir son mari défunt, mais elle n'a probablement pas vu le temps passer… Quand elle s'en est rendu compte, son café avait déjà refroidi et…

— Elle est devenue un fantôme ?

— C'est ça.

Les risques étaient bien plus élevés qu'elle ne l'imaginait. Ce nouvel obstacle n'était pas comparable aux précédents. Combien de temps un café brûlant mettait-il à refroidir ? Sûrement pas longtemps, mais probablement assez pour laisser à Fumiko le temps de le finir, même si elle détestait ça. Donc jusque-là, ça allait. Mais cette histoire de fantôme, ça changeait tout. Si elle retournait dans le passé et que, quels que soient ses efforts, le présent ne changeait pas, alors elle ne courait aucun risque. Elle n'avait rien à gagner, rien à perdre non plus. Mais devenir un fantôme, très peu pour elle.

Fumiko hésitait. Parmi les choses qu'elle appréhendait, ce qu'elle craignait le plus, c'était que le café de Kazu soit imbuvable. Si la boisson avait un goût de café, passe encore. Mais s'il s'agissait d'un café ultra-épicé ou d'un café aromatisé au wasabi ? Elle ne pourrait jamais le boire en entier.

Bon, elle réfléchissait trop. Fumiko secoua la tête pour chasser les inquiétudes qui lui avaient traversé l'esprit.

— Il faut donc que je boive ce café en entier avant qu'il ne soit froid, c'est bien ça ?

— Oui.

Fumiko avait pris sa décision. Enfin, à ce niveau-là, c'était plus de l'entêtement qu'autre chose.

Kazu se tenait debout sans rien dire. Le flegme incarné, quelle que soit la décision de Fumiko.

Celle-ci ferma les yeux, posa les poings sur la table et prit une grande inspiration par le nez, comme pour se concentrer.

— Je suis prête… Vous pouvez me servir ce café, dit-elle avec détermination en fixant Kazu du regard.

La serveuse hocha la tête et souleva lentement la bouilloire en argent. Elle baissa les yeux vers Fumiko et murmura :

— N'oubliez pas… Il faut revenir avant que le café ne soit froid…

Kazu versa lentement le café dans la tasse. Bien que ce soit inconscient de sa part, ses gestes avaient la grâce et la noblesse d'un rituel.

En même temps que des volutes de vapeur s'élevaient de la tasse, les alentours de la table de Fumiko commencèrent à se distordre. Prise de peur, la jeune femme ferma les yeux, mais cela ne fit qu'intensifier la sensation qu'elle ondulait elle aussi.

Elle serra les poings plus fort. N'allait-elle pas se transformer en filet de vapeur et disparaître, sans pouvoir retourner ni dans le passé ni dans le présent ? Tourmentée par cette crainte, Fumiko repensa tout à coup à sa première rencontre avec Gorô.

*

Fumiko avait fait la connaissance de Gorô deux ans plus tôt, un jour de printemps. Elle avait vingt-six ans et lui vingt-trois.

Ils avaient tous les deux été envoyés en mission par leurs boîtes respectives pour travailler sur un projet dont Fumiko était la chef.

Même face à des supérieurs plus âgés, Fumiko ne faisait aucun compromis. Pour cette raison, il lui arrivait de se disputer avec ses collègues. Mais on appréciait sa droiture et sa franchise, d'autant plus qu'elle ne ménageait pas ses efforts pour le travail, et personne ne la critiquait jamais.

Gorô avait trois ans de moins que Fumiko, mais il dégageait le flegme d'un trentenaire. En d'autres termes, il faisait vieux. À tel point que Fumiko l'avait d'abord vouvoyé, n'imaginant pas une seule seconde qu'il puisse être plus jeune qu'elle.

Il était certes le plus jeune de l'équipe, mais il se montrait plus efficace que quiconque. Ses compétences d'ingénieur étaient remarquables, et même Fumiko se sentait rassurée de pouvoir compter sur lui.

Un jour, alors que la date de remise approchait, un gros bug fut détecté sur le projet. Il s'agissait d'une erreur ou d'un défaut dans le programme informatique. Pour les systèmes destinés à un usage médical, même un bug minime pouvait avoir des conséquences dramatiques. Le projet n'était pas livrable en l'état. Mais trouver l'origine d'un bug, c'était comme extraire une goutte d'encre d'une piscine de 250 mètres. Sans compter la limite de temps. Si le délai n'était pas respecté, la responsabilité incombait au chef de projet, soit à Fumiko.

Il ne restait qu'une semaine avant la remise. Sachant qu'il fallait compter au moins un mois pour régler le problème, on abandonna l'idée de rendre le projet dans les temps et Fumiko se prépara à rédiger sa lettre de démission.

C'est alors que, du jour au lendemain, Gorô cessa de venir au bureau. Il était injoignable, et ses collègues commencèrent à se demander si ce n'était pas lui le responsable du dysfonctionnement. On racontait qu'il n'osait plus se montrer parce qu'il se sentait coupable. Personne n'avait de preuve, cependant, plus une faute est lourde, plus on a tendance à vouloir la mettre sur le dos de quelqu'un. En s'absentant du bureau, Gorô devenait le coupable idéal. Même Fumiko commençait à avoir des soupçons.

Mais contre toute attente, quatre jours après s'être volatilisé, Gorô réapparut en annonçant avoir trouvé l'origine du bug. Il n'était pas rasé et sentait un peu mauvais, mais personne ne lui fit le moindre reproche. Car, à voir son visage épuisé, on devinait qu'il avait travaillé jour et nuit sans relâche. Il était parvenu à résoudre tout seul un problème que tous les membres de l'équipe, Fumiko y comprise, avaient jugé insurmontable. C'était un miracle, il n'y avait pas d'autre mot. En s'absentant sans prévenir ni donner aucune nouvelle, Gorô n'avait pas respecté les règles de la vie en société, mais il avait montré par la même occasion qu'il considérait son travail avec plus de sérieux que n'importe qui et qu'aucun programmeur ne lui arrivait à la cheville.

Fumiko avait remercié Gorô du fond du cœur et s'était excusée de l'avoir soupçonné, même un instant, d'être le responsable du bug.

Face à Fumiko qui s'inclinait, Gorô avait simplement souri et répondu :

— Payez-moi un café, et on sera quittes.

Fumiko était tombée amoureuse de lui à cet instant précis.

Une fois le projet rendu, chacun fut envoyé en mission ailleurs et ils n'eurent plus l'occasion de se voir. Mais Fumiko était une femme d'action. Elle se mit à inviter Gorô dans divers endroits dès qu'elle avait du temps libre, sous prétexte de lui offrir un café.

C'est lors de sa première visite chez lui que Fumiko apprit que TIP-G, l'entreprise de jeux vidéo spécialisée dans les MMORPG, était américaine. Tandis que Gorô lui parlait avec exaltation de cette entreprise qu'il rêvait d'intégrer, Fumiko fut prise d'inquiétude : *S'il était embauché là-bas, choisirait-il son rêve ou moi ? Il ne faut pas que je pense comme ça. Ce ne sont pas des choses comparables. Mais…*

Plus le temps passait, plus elle prenait conscience de l'importance que Gorô avait pour elle, mais Fumiko n'osait pas lui demander comment il envisageait les choses.

Puis, au printemps dernier, Gorô avait obtenu son ticket d'entrée pour rejoindre TIP-G. Il avait réalisé son rêve. Les craintes de Fumiko se révélèrent légitimes : Gorô fit le choix de se rendre aux États-Unis. Fumiko l'avait appris une semaine plus tôt, dans ce café.

Elle ouvrit les yeux, l'esprit embrumé, comme si elle se réveillait d'un rêve.

*

La sensation que son âme vacillait comme une volute de vapeur disparut d'un coup, et elle retrouva la perception de ses membres. Fumiko se tapota le visage et le corps pour vérifier qu'elle était bien là.

Elle remarqua qu'un homme l'observait d'un air perplexe. Pas d'erreur, c'était Gorô. Gorô, censé être parti aux États-Unis, était là, en face d'elle. Fumiko eut la certitude que, cette fois, elle était vraiment retournée dans le passé.

Elle comprit rapidement pourquoi Gorô la regardait ainsi.

Elle était bel et bien revenue une semaine en arrière. L'intérieur du café était identique à ses souvenirs. À la place la plus proche de l'entrée, l'homme appelé M. Fusagi avait ouvert un magazine. Mlle Hiraï était assise au comptoir, en face de Kazu. Et, à la table où Fumiko et lui s'étaient installés l'un en face de l'autre, il y avait Gorô.

Un seul détail avait changé. C'était la position de Fumiko. Il y avait une semaine, elle se trouvait en face de son petit ami. Mais là, elle était à la place de la femme en blanc. Elle se trouvait donc bien en face de Gorô, mais à une table d'écart. Ça faisait loin, et ce n'était vraiment pas naturel.

Mais Fumiko ne pouvait pas quitter sa chaise, car c'était la règle. S'il lui demandait pourquoi elle était assise là, elle serait bien en peine de répondre. Fumiko avala sa salive.

Gorô ne fit pourtant aucune remarque sur cette étrange disposition et il répéta la réplique que la jeune femme avait déjà entendue :

— Bon, il faut que j'y aille…

Elle comprit où en était la discussion.

— Oh, ne t'inquiète pas ! Je sais bien que tu n'as pas beaucoup de temps. Moi non plus, à vrai dire…

— Comment ça ?

— Ah, désolée…

Il y avait comme un décalage dans la conversation. Ce n'était pas tous les jours qu'elle voyageait dans le passé et son esprit était un peu confus.

Il fallait tout d'abord qu'elle se calme. Tout en regardant Gorô à la dérobée, elle but une gorgée de café.

— Mais c'est tiède ! Il est tiède, ce café ! Il va refroidir dans deux secondes !

Fumiko n'en revenait pas. Elle aurait pu boire ce café d'une traite tant il était tiède. Encore un obstacle inattendu. Elle lança un regard furieux à Kazu. Celle-ci affichait son air indifférent de toujours, ce qui irrita encore plus Fumiko.

— Et en plus, il est amer…

C'était de loin le café le plus amer qu'elle eût jamais bu.

Face à l'attitude incompréhensible de Fumiko, Gorô paraissait perdu. Il consulta sa montre en se grattant le sourcil droit. Il était préoccupé par l'heure qui tournait. Fumiko s'affola :

— Ah, euh, en fait, il y a une raison à tout ça…

Elle saisit le sucrier posé devant elle et saupoudra généreusement son café de sucre, avant d'y verser une abondante quantité de lait et de mélanger vivement en faisant cliqueter la cuillère contre les parois de la tasse.

— Une raison ?

Gorô fronça les sourcils. Fumiko se demanda si c'était pour lui reprocher de mettre trop de sucre ou parce qu'il ne voulait pas en savoir davantage.

— Je voudrais qu'on prenne le temps de parler.

Alors que Gorô regardait de nouveau sa montre, elle fit : « Attends deux secondes... » et goûta son café pour vérifier qu'il était maintenant buvable.

Avant sa rencontre avec Gorô, Fumiko ne consommait jamais de café. Elle s'y était mise depuis que, sous prétexte qu'elle lui devait un café, elle l'invitait régulièrement à aller en prendre un. Comme elle avait horreur de cette boisson, elle y ajoutait chaque fois du sucre et du lait en quantité, ce qui ne manquait jamais d'amuser Gorô.

— Ah, tu viens de faire la tête qui dit : « Mais pourquoi elle boit tranquillement son café dans un moment aussi grave, celle-là ! »

— Mais non...

— Mais si ! Je lis en toi comme dans un livre ! répliqua Fumiko d'une voix aiguë.

Comme c'était à craindre, la conversation s'arrêta. Fumiko s'en voulut : après tous ces efforts pour revenir dans le passé, elle avait encore réagi comme une gamine, et Gorô s'était renfermé dans sa coquille.

Embarrassé, il se leva et s'adressa à Kazu qui se trouvait derrière le comptoir :

— Excusez-moi... Je vous dois combien ?

Il tendit le bras pour attraper l'addition. Fumiko savait que, si elle ne faisait rien, Gorô allait payer et partir à jamais.

— Attends !

— C'est bon, je vais payer.

— Je ne suis pas venue ici pour te dire ça.

— Pardon ?

Ne t'en va pas !

— Pourquoi tu ne m'as pas parlé de ton départ plus tôt ?

Je ne veux pas que tu t'en ailles.

— Eh bien…

— Je sais à quel point tu tiens à ton travail… Je ne veux pas t'interdire d'aller aux États-Unis… Je ne m'y opposerai pas…

Je pensais qu'on resterait toujours ensemble.

— Mais au moins, tu aurais pu…

Mais j'étais donc la seule à y croire ?

— Tu aurais pu m'en parler… Tu t'en vas comme ça, sans même me consulter…

Alors que moi, je t'aimais…

— Je trouve ça un peu…

Je t'aimais pour de vrai.

— Triste…

— …

— Ce que je tenais à te dire, c'est…

— …

À quoi bon, maintenant ?

— C'est juste ça.

Puisque de toute façon on ne pouvait pas changer le présent, Fumiko avait prévu de dire tout ce qu'elle avait sur le cœur, mais elle n'en avait pas été capable. Ça aurait été comme une défaite. Elle ne supportait pas l'idée de demander à Gorô de choisir entre son travail et sa petite amie. Pour elle qui, jusqu'à sa rencontre avec Gorô, n'avait vécu que pour le travail, il n'était pas question de lui imposer un tel choix. Elle ne voulait pas paraître si faible devant lui, de trois ans son cadet. Elle avait sa fierté. Et elle éprouvait peut-être une pointe de jalousie, aussi, à l'idée qu'il puisse se hisser si haut au niveau professionnel. Pour toutes ces raisons, elle n'avait pas réussi à dire le fond de sa pensée. De toute façon, il était trop tard.

— C'est bon, tu peux t'en aller… Je m'en fiche, maintenant… De toute façon, quoi que je dise, tu partiras pour les États-Unis…

Sur ces mots, Fumiko vida sa tasse d'une traite.

Tout se mit de nouveau à onduler et une sensation de vertige l'enveloppa, comme tout à l'heure.

Fumiko était en train de se demander à quoi bon revenir dans le passé lorsque Gorô lâcha tout bas :

— J'ai toujours pensé que je ne te méritais pas.

Fumiko n'en croyait pas ses oreilles.

— Chaque fois que tu m'invitais à aller prendre un café, je me répétais qu'il ne fallait pas que je tombe amoureux…

— Quoi ?

— À cause de ça…

Il releva la frange qui recouvrait un côté de son front. Une large cicatrice de brûlure s'étendait jusqu'à son oreille droite.

— Toutes les femmes que j'ai rencontrées avant toi étaient dégoûtées et ne voulaient même pas m'adresser la parole.

— Mais ça...

— Même après, quand on a commencé à sortir ensemble...

Mais ça ne m'a jamais dérangée !

Fumiko avait crié, mais elle s'était changée en volute de vapeur et Gorô n'entendait plus sa voix.

— Je me disais qu'un jour... tu tomberais amoureuse d'un homme séduisant...

N'importe quoi !

— C'est ce que je pensais...

Jamais de la vie !

Fumiko était bouleversée. Jamais Gorô ne lui avait fait une telle confession. Mais maintenant qu'elle y réfléchissait, il fallait bien avouer que plus elle s'attachait à lui et pensait au mariage, plus elle avait senti une sorte de mur invisible s'élever entre eux. Quand elle lui demandait s'il l'aimait, il acquiesçait, mais jamais un véritable « Je t'aime » n'était sorti de sa bouche. Quand ils marchaient ensemble dans la rue, il baissait parfois la tête en se grattant le sourcil droit. Il était conscient du regard que les hommes portaient sur elle.

Dire qu'il se laissait arrêter par un détail...

Aussitôt, Fumiko regretta d'avoir eu cette pensée. Pour elle, c'était peut-être un détail insignifiant, mais Gorô, lui, souffrait de ce complexe depuis des années.

Je n'avais rien compris à ce qu'il ressentait…

Fumiko perdait peu à peu conscience. Son corps tout entier était saisi d'une sensation de vertige, comme s'il ondulait.

Gorô prit l'addition et il se dirigea vers la caisse en tirant sa valise derrière lui.

La réalité ne changera pas, et c'est tant mieux. Il a fait le bon choix. Je ne vaux rien, à côté de son rêve. Je dois laisser tomber et souhaiter de tout mon cœur qu'il réussisse dans sa carrière.

Fumiko, les yeux rougis, fermait lentement les paupières.

— Trois ans…, murmura Gorô, qui lui tournait toujours le dos. Attends-moi trois ans… Je te promets que je reviendrai.

Sa voix n'était plus qu'un murmure, mais le café n'était pas grand et Fumiko, même si elle s'était changée en vapeur, l'avait clairement entendue.

— Quand je reviendrai…

Tout en se grattant le sourcil, Gorô, toujours le dos tourné, marmonna quelque chose.

— Quoi ?

À cet instant, la conscience de Fumiko disparut du café, comme si elle s'était évaporée. La jeune femme avait néanmoins eu le temps de voir le visage de Gorô qui se retournait au moment de sortir. Il affichait le même sourire plein de douceur qu'il avait eu ce jour-là, lorsqu'il lui avait dit : « Payez-moi un café, et on sera quittes. »

*

Quand Fumiko reprit ses esprits, elle était assise, seule, sur la fameuse chaise. Elle avait l'impression d'avoir rêvé, mais devant elle la tasse de café était vide. Elle sentit un goût sucré dans sa bouche.

Au même moment, la femme en blanc sortit des toilettes. En voyant Fumiko assise à sa place, elle s'approcha d'elle en silence et prononça d'une voix grave et intimidante :

— Pousse-toi.

— Ah… excusez-moi, dit Fumiko en s'empressant de se lever.

Elle avait encore la sensation d'être dans un rêve. Venait-elle vraiment de voyager dans le passé ? Puisqu'on ne pouvait pas changer le présent, il était normal que rien n'ait l'air d'avoir changé.

Un parfum de café fraîchement préparé s'exhala de la cuisine. Kazu apparut avec une tasse fumante sur un plateau. Toujours aussi impassible, elle passa à côté de Fumiko qui restait figée, s'approcha de la femme en blanc, débarrassa la tasse vide de Fumiko et posa la nouvelle. La femme fantôme la remercia d'un petit mouvement de tête et reprit sa lecture. Puis Kazu, de retour au comptoir, demanda à Fumiko avec détachement :

— Ça s'est bien passé ?

Ainsi, Fumiko avait bel et bien voyagé dans le passé ! Elle était retournée à ce jour précis, il y avait une semaine. Mais alors…

— Dites-moi… On ne peut pas changer le présent, c'est bien ça ?

— En effet.

— Et ce qui va arriver après ?

— C'est-à-dire ?

Fumiko prit soin de bien choisir ses mots.

— Eh bien… ce qui va arriver dans le futur.

— Le futur n'étant pas encore arrivé, tout ne dépendra que de vous…

Sur ces mots, pour la première fois, Kazu lui sourit. Les yeux de Fumiko s'illuminèrent.

— Vous souhaitez régler ? Ça fera 420 yens avec le supplément nuit, dit tranquillement la serveuse en se dirigeant vers la caisse.

Fumiko acquiesça et la suivit d'un pas léger.

Après avoir réglé, elle fixa Kazu dans les yeux et la remercia. Elle balaya les lieux du regard avant de s'incliner, comme si elle remerciait le café lui-même, puis elle sortit d'une démarche assurée.

Ding-dong.

Kazu continua de pianoter sur le clavier de la caisse avec son air indifférent, tandis que la femme à la robe blanche, un léger sourire aux lèvres, fermait doucement son livre, un roman intitulé *Les Amoureux*.

2
Les époux

Dans ce café, il n'y avait pas la climatisation.

L'établissement avait ouvert ses portes en 1874, soit il y avait plus de cent quarante ans. Bien que quelques aménagements aient été effectués à l'intérieur, les lieux avaient conservé leur cachet d'antan. Soit dit en passant, on s'éclairait à l'époque à la lampe à pétrole. Officiellement, c'était en 1888 que les premiers cafés à l'occidentale étaient apparus au Japon ; le *Funiculi funicula* avait donc été fondé quatorze ans avant cette date.

C'est pendant la période Edo, durant le règne du shôgun Tsunayoshi Tokugawa, qu'on avait commencé à consommer du café au Japon. Mais à ce qu'on raconte, cette boisson ne fut pas vraiment du goût des Japonais. Pas étonnant, étant donné qu'il s'agissait d'un breuvage noir et amer.

Avec la diffusion de l'électricité, les lampes à pétrole qui éclairaient le *Funiculi funicula* furent remplacées par des lumières électriques, mais on se refusa toujours à installer un climatiseur, de crainte de gâcher le décor.

Mais chaque année venait l'été. Le café avait beau être situé en sous-sol, quand la température extérieure dépassait les trente degrés, on pouvait craindre que l'air y devienne étouffant. La salle était tout de même équipée d'un ventilateur de plafond avec de grandes pales. Comme celui-ci était électrique, il avait dû être installé après l'ouverture. Mais un ventilateur de plafond ne souffle pas très fort et sert surtout à faire circuler l'air.

Au Japon, le record de température avait été atteint le 12 août 2013 à Ekawasaki, dans le département de Kôchi, où il avait fait 41 degrés. Comment un ventilateur de plafond pourrait-il être d'une quelconque utilité par une telle chaleur ?

Et pourtant, il faisait toujours frais au *Funiculi funicula*, même en plein été. Mis à part les employés du café, personne ne savait d'où venait cette fraîcheur.

Un après-midi de début d'été, alors qu'il faisait déjà aussi chaud qu'en pleine saison estivale, une jeune femme écrivait, assise au comptoir. Un café glacé, dilué par les glaçons fondus, était posé près d'elle. Elle portait un tee-shirt blanc léger avec des dentelles, une jupe droite grise et des sandales à lacets. Elle se tenait bien droite et promenait son stylo sur un papier à lettres rose pâle.

De l'autre côté du comptoir, une femme frêle au teint clair la contemplait, les yeux brillants comme ceux d'une petite fille. C'était Kei Tokita, la femme du patron. Elle jetait de temps en temps des coups d'œil curieux sur la lettre.

Dans la salle se trouvaient également la femme en blanc à sa place de prédilection et, à la table la plus proche de l'entrée, l'homme appelé M. Fusagi. Comme à son habitude, il avait ouvert un magazine sur la table.

La cliente au comptoir, qui avait fini sa lettre, poussa un soupir de satisfaction. Kei l'imita par réflexe.

— Pardon, je me suis éternisée, s'excusa la cliente en glissant la lettre dans son enveloppe.

— Je vous en prie, répondit Kei en regardant ses pieds.

— Vous pourriez donner ça à ma sœur ?

La femme lui tendit respectueusement sa lettre des deux mains. Elle s'appelait Kumi Hiraï, et c'était la petite sœur de Yaeko Hiraï, la gérante de bar excentrique qui avait ses habitudes ici.

— Oh, mais si vous voulez la voir, elle..., commença Kei, mais elle s'interrompit.

Kumi, incrédule, pencha la tête sur le côté. Kei fit comme si de rien n'était et tourna son regard vers l'enveloppe.

— C'est pour votre grande sœur, c'est bien ça ?

— Je doute qu'elle la lise, mais... je vous remercie d'avance, dit-elle d'un air embarrassé, avant de s'incliner profondément.

Kei, gênée par tant de politesse, accepta la lettre des deux mains en faisant un salut, comme s'il s'agissait d'un objet de grande valeur.

Kumi se dirigea vers la caisse pour régler ses consommations.

La caisse enregistreuse de ce café était sûrement le plus ancien modèle encore utilisé à ce jour, même si elle n'avait été introduite dans le café que près d'un demi-siècle après l'ouverture, au cours de l'ère Shôwa. Sa forme faisait penser à une machine à écrire. Elle pesait quarante kilos, ce qui évitait les risques de vol, et les touches du clavier produisaient un claquement sonore quand on appuyait dessus.

— Un café… une assiette de toasts… un curry… une coupe glacée…

Clank clank, clank clank clank… Kei enregistrait les consommations en faisant résonner la caisse en rythme.

— Un soda avec une boule de glace… une part de pizza…

Kumi avait beaucoup mangé, et l'addition ne tenait pas en une page. Kei passa à la deuxième.

— Riz pilaf au curry… milk-shake à la banane… curry au porc pané…

Il était inutile de prononcer à voix haute la liste des plats consommés, mais Kei le faisait quand même. Elle pianotait sur la caisse enregistreuse comme un enfant qui s'amuse avec son jouet.

— Ainsi que des gnocchis au gorgonzola, des pâtes à la crème au poulet et aux feuilles de shiso…

— J'ai trop mangé, n'est-ce pas ? la coupa Kumi, qui commençait à être gênée d'entendre énumérer tout ce qu'elle venait de consommer.

Elle voulait peut-être sous-entendre : « Ne vous sentez pas obligée de le dire à voix haute. »

— Oui, ça fait beaucoup, là.

La remarque ne venait pas de Kei mais de M. Fusagi, qui avait écouté leur échange en gardant les yeux baissés sur son magazine. Kumi rougit jusqu'aux oreilles et s'empressa de demander :

— Je vous dois combien ?

Sauf que ce n'était pas fini.

— Ah, attendez... Il y a encore un assortiment de sandwichs, des boulettes de riz grillées, un supplément de curry... Ah, et le café glacé, ce qui fera un total de 10 230 yens !

Kei sourit avec bienveillance, les yeux toujours brillants.

Kumi sortit en vitesse deux billets de son portefeuille. Kei les prit et vérifia qu'aucun autre billet n'était collé.

— Vous m'avez donc donné 11 000 yens...

Elle frappa de nouveau sur les touches, tandis que Kumi gardait la tête baissée. Le tiroir-caisse s'ouvrit d'un coup en émettant un *Ting !* retentissant.

— Et voici votre monnaie de 770 yens.

Elle remit l'argent à Kumi, qui inclina la tête poliment.

— Je vous remercie.

Elle était tellement mal à l'aise qu'elle voulait partir au plus vite, et elle se hâta vers la sortie.

— Attendez ! fit Kei.

Kumi se retourna vers elle.

— Oui ?

— Voulez-vous… que je transmette un message à votre sœur ?

— Non, ça ira, répondit la jeune femme en regardant ses pieds. Tout est écrit dans ma lettre.

— Oui, bien sûr…

Kei paraissait un peu déçue. Touchée par sa sollicitude, Kumi réfléchit, avant de lui demander :

— Est-ce que vous pourriez lui dire…

— Oui ?!

L'expression de Kei s'était illuminée d'un coup.

— Que papa et maman ne sont plus fâchés…

Kei répéta d'une voix joyeuse le message à transmettre :

— « Papa et maman ne sont plus fâchés… »

— Je vous remercie d'avance, répondit Kumi, qui balaya lentement le café du regard, s'inclina poliment et quitta l'établissement.

Ding-dong.

Kei s'avança jusqu'à l'entrée du café pour s'assurer que Kumi était bien partie, puis elle s'adressa au comptoir vide :

— Je ne savais pas que tu étais fâchée avec tes parents…

— Ils m'ont reniée, fit une voix rauque sous le comptoir, et la tête de Mlle Hiraï surgit de sa cachette.

— Mais tu as entendu, n'est-ce pas ?

— De quoi ?

— Que ton père et ta mère ne sont plus fâchés.

— Mouais, je suis sceptique…

Mlle Hiraï, qui était restée longtemps accroupie sous le comptoir, marchait comme une vieille dame cassée en deux. Fidèle à elle-même, elle avait des bigoudis sur la tête et un look extravagant qui consistait en un débardeur à motif léopard, une jupe moulante rose et des tongs.

— Elle a l'air gentille, ta petite sœur.

— Avec les autres seulement, rétorqua Mlle Hiraï en haussant les épaules.

Elle s'installa au comptoir, à la place que venait de quitter sa sœur, sortit une cigarette de sa pochette léopard et l'alluma.

La fumée de la cigarette monta dans l'air. Mlle Hiraï contempla les volutes en prenant un air grave, ce qui ne lui arrivait pas souvent. Elle semblait avoir l'esprit ailleurs, comme si sa conscience se trouvait quelque part au loin.

— Quelque chose ne va pas ? demanda Kei en retournant derrière le comptoir.

— Elle m'en veut, murmura Mlle Hiraï en crachant sa fumée.

— Comment ça ?

Kei écarquilla ses grands yeux.

— Elle ne voulait pas prendre la relève.

Comme Kei semblait ne pas saisir, Mlle Hiraï ajouta :

— De l'auberge…

La maison familiale de Mlle Hiraï se trouvait à Sendaï, dans le département de Miyagi. Ses parents tenaient une célèbre auberge de luxe et avaient l'intention d'en confier la succession à leur fille aînée, mais celle-ci s'était enfuie du foyer il y avait treize ans et Kumi avait été contrainte de prendre la relève à sa place. Les parents étaient encore bien portants mais âgés, ce qui obligeait Kumi à s'occuper de tout.

Depuis qu'elle avait pris la tête de l'auberge, elle se rendait régulièrement à Tôkyô pour tenter de convaincre sa grande sœur de rentrer.

— Je n'arrête pas de lui dire que je n'en ai aucunement l'intention, mais elle revient à la charge, encore et encore et encore…

L'air agacé, Hiraï comptait sur les doigts des deux mains le nombre de fois où sa sœur était venue.

— Quelle plaie, celle-là !

— Ce n'est pas une raison pour te cacher…

— Je n'avais pas envie de voir ça.

— De voir quoi ?

— Sa tête ! C'est écrit sur son visage : « À cause de toi, grande sœur, je dois gérer une auberge alors que je n'ai rien demandé. Si tu rentrais, je pourrais retrouver ma liberté. »

— Qu'est-ce que tu racontes ? Je ne vois pas comment cela aurait pu être écrit sur son visage, répondit Kei avec le plus grand sérieux.

Mlle Hiraï, qui savait que Kei avait souvent du mal à ne pas prendre les choses au pied de la lettre, l'ignora et conclut :

— Quoi qu'il en soit, j'en ai marre de ses reproches.

Elle recracha la fumée de sa cigarette en faisant une grimace, tandis que Kei demeurait perplexe.

— Oh, non, il est déjà si tard ? dit soudain Mlle Hiraï sur un ton qui sonnait faux.

Elle écrasa sa cigarette dans le cendrier et, sous prétexte qu'elle devait aller ouvrir son bar, elle se leva.

— Trois heures que je suis restée cachée ! J'ai les hanches en compote, dit-elle en s'étirant et en se donnant de petits coups à la taille, puis elle se dirigea vers la sortie en faisant claquer ses tongs contre le sol.

— Ah, la lettre ! se rappela soudain Kei, et elle lui tendit l'enveloppe qu'elle avait soigneusement rangée, mais Mlle Hiraï l'écarta sans même la regarder.

— Tu peux la jeter.

— Tu ne comptes pas la lire ?

— Oh, je devine le contenu… « C'est trop dur pour moi de gérer seule l'auberge, il est temps que tu rentres, tu apprendras le métier sur le tas, bla-bla-bla… »

Pendant qu'elle parlait, Mlle Hiraï avait sorti de sa pochette léopard son portefeuille épais comme un dictionnaire et elle posa l'appoint sur le comptoir.

— Allez, salut !

Sur ces mots, elle se sauva.

Ding-dong.

— Mais je ne peux pas jeter ça…

Kei regardait la lettre de Kumi d'un air embarrassé.

*

Ding-dong.

Alors que Kei demeurait interdite, la cloche résonna de nouveau et Kazu Tokita entra. Elle était allée faire des achats avec son cousin Nagare, le patron de l'établissement, et portait des sacs de courses dans chaque main. La clé de la voiture cliquetait avec les autres au trousseau accroché à son annulaire gauche. Vêtue d'un tee-shirt et d'un jean, elle paraissait beaucoup plus jeune que lorsqu'elle travaillait en nœud papillon et tablier de sommelier.

— Tout s'est bien passé ? lui demanda Kei avec le sourire.

Elle serrait toujours la lettre dans ses mains.

— Je suis désolée, ça a pris plus de temps que prévu…

— Ne t'en fais pas, de toute façon, c'était calme.

— Je vais me changer tout de suite.

Kazu était toujours plus expressive lorsqu'elle n'avait pas encore endossé son uniforme de serveuse. Elle se dirigea vers l'arrière-salle en tirant la langue.

— Mon mari n'est pas avec toi ? demanda Kei depuis le comptoir, les yeux tournés vers l'entrée.

Kazu et Nagare faisaient toujours les courses ensemble pour le café. Non qu'ils aient beaucoup de produits à acheter, mais le patron était si exigeant sur leur qualité qu'il avait tendance à dépasser largement le budget. Kazu l'accompagnait donc pour le surveiller, tandis que Kei gardait le café. Parfois, quand Nagare n'était pas assez satisfait de ses achats, il allait boire un verre quelque part.

— Oh, il a dit qu'il rentrerait un peu tard, répondit Kazu de manière évasive.

— Laisse-moi deviner, il est encore allé boire, c'est ça ?

Quelle crapule !

Kei se retira à son tour dans l'arrière-salle, la lettre à la main.

Il n'y avait que deux clients dans le café : la femme en blanc, qui lisait un roman en silence, et M. Fusagi. En dépit de la saison, ils buvaient tous les deux un café chaud, ce qui pouvait s'expliquer par deux raisons. D'abord, lorsqu'on commandait un café chaud ici, on pouvait être resservi à volonté, ensuite, il faisait toujours frais dans la salle. Comme ces deux clients restaient assis pendant des heures, ils ne devaient pas voir d'inconvénient à boire leur café chaud.

Kazu réapparut dans son uniforme de serveuse.

L'été ne faisait que commencer, mais à l'extérieur la température dépassait 30 degrés, il faisait une chaleur de canicule. Alors qu'elle n'avait parcouru qu'une dizaine de mètres depuis le parking, Kazu avait encore le front en sueur. Elle poussa un soupir en s'essuyant avec un mouchoir en tissu.

— Excusez-moi…, dit M. Fusagi en levant la tête. Je pourrais avoir un autre café ?

— Oh, bien sûr !

Kazu, qui n'avait pas répondu avec sa froideur habituelle, semblait avoir gardé un peu de la candeur ingénue qu'elle dégageait tout à l'heure quand elle était en tee-shirt.

M. Fusagi s'asseyait toujours à la même place. Lorsque celle-ci n'était pas libre, il préférait repartir plutôt que de s'installer ailleurs. Deux ou trois fois par semaine, on le voyait apparaître au début de l'après-midi. Il ouvrait un magazine de voyages sur la table et parcourait toutes les pages, de la première à la dernière, en prenant des notes de temps en temps. Sa tâche terminée, il s'en allait. Il ne commandait jamais rien d'autre que du café chaud.

Le café servi au *Funiculi funicula* était un moka d'Éthiopie au parfum extrêmement agréable. Son acidité marquée et son goût assez particulier ne plaisaient pas à tout le monde, mais Nagare mettait un point d'honneur à ne proposer que ce moka.

M. Fusagi, lui, appréciait ce café, et l'endroit était idéal pour lire tranquillement des magazines.

Kazu revint avec une carafe en verre pleine pour la resservir. Elle souleva la tasse avec sa soucoupe. En général, M. Fusagi restait concentré sur son magazine, mais, cette fois, il observa Kazu, intrigué.

Devant cette curieuse attitude, Kazu se demanda s'il ne lui avait pas commandé autre chose qu'elle n'aurait pas entendu.

— Tout va bien ?

M. Fusagi esquissa alors un rictus timide.

— Vous êtes nouvelle, ici ?

Kazu resta impassible, reposa la tasse remplie et se contenta de répondre :

— Oui, on peut dire ça…

— Ah, d'accord, fit-il d'une petite voix.

M. Fusagi semblait ravi d'avoir pu lui montrer qu'il était un habitué des lieux. C'était tout ce qu'il voulait et, satisfait, il replongea dans sa lecture.

Kazu poursuivit son travail comme si de rien n'était, mais il n'y avait pas grand-chose à faire à part essuyer la vaisselle propre et la ranger sur les étagères. Elle se mit à discuter avec M. Fusagi depuis le comptoir. Étant donné la taille des lieux, on n'avait pas besoin d'élever la voix.

— Vous venez souvent ici ?

— Oui…

— Vous connaissez la légende urbaine autour de ce café ?

— Oui, je la connais bien.

— Alors vous devez aussi être au courant, pour le siège…

— Oui.

— Vous voulez retourner dans le passé ?

— C'est ça.

M. Fusagi répondait chaque fois sans la moindre hésitation.

— Et… que souhaitez-vous faire en y retournant ?

Kazu ne posait jamais de questions personnelles aux clients. Prenant conscience que cela ne lui ressemblait pas, elle inclina la tête pour s'excuser et vaqua de nouveau à ses occupations.

M. Fusagi ouvrit alors son porte-documents et en sortit une enveloppe beige. Elle semblait dater de plusieurs années et ses quatre coins étaient fripés.

Aucun nom de destinataire n'était écrit dessus. M. Fusagi montra de loin l'enveloppe à Kazu en la levant de ses deux mains.

— Qu'est-ce que c'est ?

— Pour ma femme..., répondit-il d'une toute petite voix.

— C'est une lettre ?

— Oui.

— Destinée à votre femme ?

— Oui, parce que j'ai raté l'occasion de la lui remettre.

— Et donc, vous souhaitez retourner au jour où vous avez manqué cette occasion ?

— C'est ça.

— Et votre femme, où est-elle en ce moment ?

— Euh...

Cette fois, M. Fusagi ne savait visiblement pas quoi dire. Kazu garda les yeux fixés sur lui, dans l'expectative.

— Je ne sais pas..., finit-il par répondre d'une petite voix, et il se gratta la tête.

Son visage s'était légèrement raidi. Il ajouta, comme pour se justifier :

— Ah, mais elle existe, hein, ma femme... Son nom, c'est...

M. Fusagi se tapota la tempe avec son doigt.

— Tiens ? fit-il en inclinant la tête sur le côté. Comment elle s'appelle, déjà ?

Puis il se tut de nouveau.

— Je suis désolé, je ne sais pas ce qui m'arrive, dit-il finalement, et il se força à rire.

— Je vous en prie, fit Kazu, dont le visage exprimait un mélange de placidité et de tristesse.

Ni lui ni Kazu n'avaient remarqué la présence de Kei. Elle avait dû écouter leur échange, car elle était blême.

Ding-dong.

Kazu ne put s'empêcher de lâcher un « Oh ! » de surprise en voyant Mme Kôtake entrer.

Elle avait visiblement terminé son travail pour la journée, car elle avait troqué son uniforme d'infirmière contre une tunique vert olive, un pantalon trois-quarts en stretch bleu foncé et un sac en bandoulière noir. Elle essuyait la sueur sur son front avec un mouchoir mauve.

Après avoir fait un petit signe de tête aux deux femmes derrière le comptoir, elle alla se planter devant la table de M. Fusagi.

— Tiens, comme on se retrouve, monsieur Fusagi !

M. Fusagi la regarda d'un air ahuri. Il détourna les yeux et baissa la tête.

Déconcertée par cette réaction inhabituelle, Mme Kôtake lui demanda d'une voix douce :

— Monsieur Fusagi ? Est-ce que tout va bien ?

Il leva la tête vers elle.

— Excusez-moi, mais on se connaît ?

Il avait l'air désolé. Le sourire sur le visage de Mme Kôtake disparut et elle lâcha son mouchoir, qui tomba sur le sol sans un bruit.

M. Fusagi souffrait d'un Alzheimer précoce qui lui causait des pertes de mémoire. Cette maladie se caractérise par une diminution brutale des cellules nerveuses ; le cerveau s'atrophie, entraînant une baisse des capacités intellectuelles qui s'accompagne parfois, chez certains sujets, d'un changement de personnalité. Comme les fonctions cérébrales se détériorent de manière partielle, cette maladie a pour caractéristique qu'on oublie certaines choses tout en se souvenant d'autres. C'est une sorte de démence intermittente. Dans le cas de M. Fusagi, ses souvenirs disparaissaient petit à petit à partir des plus récents, tandis que son caractère acariâtre s'était adouci.

M. Fusagi se souvenait donc qu'il était marié, mais il avait oublié que Mme Kôtake, qui se tenait devant lui, était sa femme.

D'une petite voix hésitante, Mme Kôtake lui répondit que non, ils ne se connaissaient pas, et elle recula de deux pas.

Kazu la regardait, immobile, tandis que Kei, le visage pâle, baissait la tête.

Mme Kôtake se retourna lentement, puis elle alla s'installer au comptoir, à la place la plus éloignée de M. Fusagi.

Elle se rendit compte après coup qu'elle avait fait tomber son mouchoir, mais elle le laissa par terre, comme s'il n'était pas à elle.

M. Fusagi remarqua le mouchoir à ses pieds et le ramassa. Il le considéra un moment, puis il se leva pour aller le porter à Mme Kôtake.

— Je suis désolé, j'ai de grosses pertes de mémoire en ce moment…

Il inclinait la tête, mais Mme Kôtake refusait de le regarder. Elle répondit simplement : « Je vous en prie » et, d'une main tremblante, récupéra le mouchoir qu'il lui tendait.

M. Fusagi fit de nouveau un petit signe de tête et retourna à sa table d'un pas traînant. Il semblait nerveux, et il feuilletait frénétiquement son magazine en se grattant la tête de temps en temps.

— C'est froid…, murmura-t-il en buvant une gorgée de café, alors qu'il avait été resservi il n'y avait pas si longtemps.

— Je vous en offre un autre ? proposa aussitôt Kazu, mais M. Fusagi se leva d'un coup.

— Je vais rentrer pour aujourd'hui.

Il commença à ranger ses affaires étalées sur la table.

Mme Kôtake, qui serrait fort son mouchoir sur ses genoux, gardait la tête baissée. M. Fusagi se dirigea vers la caisse et tendit l'addition à Kazu.

— Je vous dois combien ?

— Trois cent quatre-vingts yens…, s'il vous plaît, répondit-elle, toujours en regardant Mme Kôtake du coin de l'œil.

M. Fusagi jetait des regards à Mme Kôtake, sans oser lui parler, tout en attendant sa monnaie.

— Et voici 620 yens.

M. Fusagi les récupéra en vitesse, salua Kazu sur un ton confus et se précipita dehors.

Ding-dong.

— Merci pour votre visite…

Un silence gêné s'installa dans la salle. Seule la femme à la robe blanche lisait tranquillement son livre. Le café ne diffusait jamais de musique de fond, on n'entendait donc que le tic-tac des horloges et le bruissement des pages qui se tournaient.

Kazu finit par rompre le silence :

— Madame Kôtake…

Mais elle ne parvenait pas à trouver les mots et ne sut quoi ajouter.

— Ne vous en faites pas pour moi, je savais que ça arriverait un jour…, dit Mme Kôtake en souriant.

Le silence retomba et, ne pouvant supporter davantage cette atmosphère pesante, Mme Kôtake baissa la tête.

Elle avait parlé de la maladie de son mari à Kazu et à Kei depuis un moment déjà. Nagare et Mlle Hiraï étaient au courant eux aussi. Mme Kôtake savait qu'un jour, M. Fusagi l'oublierait complètement, mais elle était prête à continuer de le soutenir en tant qu'infirmière. « Kôtake » était son nom de jeune fille, et elle avait demandé qu'on l'appelle ainsi pour éviter de troubler M. Fusagi. Autrefois, Kazu et Kei l'appelaient « Mme Fusagi ».

La progression des Alzheimer précoces varie en fonction de divers facteurs – âge, sexe, causes de la maladie, ainsi que nature du traitement –, mais l'état de M. Fusagi empirait à une vitesse préoccupante.

Mme Kôtake ne se remettait toujours pas du choc d'avoir été effacée de la mémoire de M. Fusagi.

Soudain, Kei, qui avait disparu dans la cuisine, resurgit avec une grande bouteille de saké.

— C'est un cadeau d'un client ! dit-elle en posant la lourde bouteille sur le comptoir, et elle proposa sur un ton enjoué : Ça vous tente ?

Ses yeux riaient mais ils étaient tout rouges. Sur l'étiquette du saké était écrit « Sept Bonheurs ».

La proposition totalement inopinée de Kei allégea un peu l'atmosphère. Mme Kôtake hésitait, mais ne voulait pas gâcher cette occasion, alors elle accepta de boire « juste une goutte ». Elle se sentait reconnaissante envers Kei. Elle savait la femme de Nagare impulsive, mais elle ne s'attendait pas à ce qu'elle réagisse si vite. Mlle Hiraï répétait souvent que Kei avait « un vrai talent pour le bonheur », et l'infirmière eut l'impression de comprendre ce qu'elle entendait par là.

Kei fixait maintenant Mme Kôtake de ses grands yeux ronds et brillants. L'infirmière se sentit étrangement apaisée.

— Est-ce qu'on a des trucs à grignoter ? demanda Kazu en allant voir dans la cuisine.

— Tu veux que je chauffe le saké ?

— Non, ça ira…

— Je te le sers tel quel, alors…

Kei ouvrit la bouteille d'un geste expert et remplit généreusement les verres qu'elle avait sortis. En les voyant pleins à ras bord, Mme Kôtake gloussa.

— Merci, dit-elle en se retenant de rire aux éclats.

Kazu revint avec un bocal de pickles.

— Je n'ai trouvé que ça…

— Ça sera amplement suffisant, répondit Kei en lui donnant une petite assiette.

Kazu transféra les pickles sur l'assiette et sortit trois petites fourchettes. Kei, quant à elle, se servit un verre de jus d'orange, à ras bord lui aussi.

Aucune des trois femmes ne s'y connaissait vraiment en saké. Kei ne pouvait même pas boire d'alcool, bien que ce soit elle qui ait proposé d'ouvrir la bouteille.

Comme son nom l'indiquait, on disait que le saké Sept Bonheurs procurait sept bonheurs différents à ceux qui le buvaient. C'était un saké de catégorie « Ginjô », incolore et transparent. Seuls les connaisseurs pouvaient distinguer l'élégante teinte bleue « aozae » de ce saké de prestige. Léger et fruité, le saké Sept Bonheurs remplissait d'allégresse ceux qui le buvaient.

*

Tout en humant son parfum plein de douceur, Mme Kôtake se remémorait la première fois qu'elle était venue dans ce café, il y avait cinq ans, un jour d'été. Cette année-là, une chaleur caniculaire historique avait accablé le pays, et tous les jours on martelait les mots « réchauffement climatique » sur les plateaux de télévision.

Comme ils étaient tous les deux en congé, Mme Kôtake avait proposé à son mari d'aller faire du shopping, mais ils s'étaient vite rendu compte que la chaleur était insupportable. M. Fusagi, qui était sorti contre son gré, avait rapidement suggéré de faire une pause et ils s'étaient mis en quête d'un endroit frais. Mais ils n'étaient pas les seuls à avoir eu cette idée et, où qu'ils aillent, les cafés et les restaurants étaient pleins à craquer.

Ils avaient alors remarqué une petite pancarte dans une ruelle. Le nom du café était *Funiculi funicula*. C'était le titre d'une chanson que Mme Kôtake avait chantée autrefois. Son souvenir remontait à loin, mais elle n'avait pas oublié la mélodie. Dans les paroles, il était question de monter sur un volcan. En imaginant de la lave brûlante sous cette chaleur, Mme Kôtake s'était mise à transpirer à grosses gouttes.

Mais dès qu'ils poussèrent la lourde porte en bois et entrèrent, ils sentirent une délicieuse fraîcheur. Et le tintement de la cloche à l'entrée était agréable aux oreilles. De plus, même si le café ne comptait que trois tables pour deux personnes et trois places au comptoir, seule une cliente, vêtue d'une robe blanche, était assise à la place la plus éloignée de l'entrée. Par un coup de chance, Mme Kôtake et son mari étaient tombés sur la bonne adresse.

« Sauvé ! » s'était exclamé M. Fusagi avant de s'installer bruyamment à la table la plus proche de l'entrée. Il commanda un café glacé à la femme aux yeux arrondis venue leur apporter un verre d'eau. Mme Kôtake demanda la même chose en s'asseyant sur la chaise d'en face, mais son mari, probablement gêné par cette disposition, se déplaça au comptoir.

Mme Kôtake ne s'en offusqua pas, habituée à ce type de comportement de la part de son mari. Elle était surtout ravie d'avoir découvert un café aussi calme à proximité de l'hôpital où elle travaillait.

La salle était soutenue par des piliers imposants et des poutres en bois naturel qui se croisaient au plafond. Ils étaient d'un marron foncé lustré comme la peau d'une châtaigne. Trois grandes horloges étaient accrochées aux murs. Mme Kôtake n'était pas spécialiste en antiquités, mais il n'y avait pas de doute : il s'agissait de meubles anciens. Les murs de torchis étaient d'un beige orangé raffiné, et les taches qui s'étaient formées au fil des années leur donnaient du caractère. C'était l'après-midi mais on n'avait aucune notion du temps, probablement parce que les lieux étaient dépourvus de fenêtres. L'éclairage tamisé teintait la salle d'une couleur sépia, et cette atmosphère éminemment rétro procurait le plus grand réconfort.

Il faisait incroyablement frais, pourtant, on avait beau chercher, on ne voyait nulle part de climatiseur. Seul un ventilateur de plafond en bois faisait lentement tourner ses pales. Plus tard, Mme Kôtake avait demandé à Kei et à Nagare comment cela était possible, ils lui avaient simplement répondu : « Ça a toujours été comme ça », et elle n'avait jamais pu obtenir de réponse satisfaisante.

Mme Kôtake avait été tellement séduite par l'atmosphère du café et par la personnalité de ceux qui y travaillaient qu'elle avait ensuite pris l'habitude de venir pendant ses pauses de travail.

*

— À la vôt…

Kazu, qui avait failli porter un toast par réflexe, ravala ses paroles.

— Ce n'est pas trop le moment de trinquer, n'est-ce pas ? fit Kei d'un air embarrassé.

— Allons, ne vous en faites pas pour moi, répondit Mme Kôtake en lui souriant gentiment avant de choquer doucement son verre contre le sien.

Un son curieusement clair et agréable résonna dans la salle. Mme Kôtake but une gorgée de Sept Bonheurs, et elle sentit une douceur exquise envahir son palais.

— Si je me souviens bien, ça fait six mois qu'il s'est mis à m'appeler par mon nom de jeune fille… Depuis, je disparais progressivement, sans un bruit, de sa mémoire…

Elle sourit et murmura :

— Je m'y étais préparée, mais bon, quand même…

Voyant que les yeux de Kei rougissaient de nouveau, elle s'empressa d'ajouter en agitant les mains pour la rassurer :

— Vraiment, ça va aller ! N'oubliez pas que je suis infirmière. Même si je disparaissais complètement de sa mémoire, je pourrais m'occuper de lui. J'aurais mon rôle à jouer en tant que soignante.

Elle avait employé un ton léger pour éviter de donner l'impression qu'elle disait ça par bravade, mais elle pensait sincèrement que le fait d'être infirmière lui permettrait de tisser d'autres liens avec son mari.

Kazu restait impassible et jouait avec son verre, tandis que des larmes coulaient de nouveau des yeux de Kei.

Clap.

Mme Kôtake entendit dans son dos le bruit d'un livre qu'on referme et elle se retourna. C'était la femme en blanc.

Celle-ci posa son livre sur la table, sortit un mouchoir en tissu de son sac à main blanc et se leva en silence pour se rendre aux toilettes. Si elle n'avait pas fait de bruit en fermant son livre, personne ne l'aurait remarquée.

Mme Kôtake avait suivi des yeux chacun de ses mouvements mais Kei l'avait à peine regardée. Quant à Kazu, elle continuait à boire du Sept Bonheurs sans lui prêter la moindre attention. Pour elles, cette scène n'avait rien d'exceptionnel.

— Au fait, je me demande pourquoi mon mari veut retourner dans le passé…

Mme Kôtake regardait la chaise vide. Elle savait, bien sûr, que cette place permettait de voyager dans le passé.

Du temps où il ne souffrait pas encore des symptômes d'Alzheimer, M. Fusagi n'était pas de ceux qui croyaient à ces histoires. Quand Mme Kôtake lui avait raconté avec animation la rumeur qui circulait à propos de ce café, il avait répondu : « Foutaises ! » Il ne croyait pas non plus aux fantômes et aux phénomènes paranormaux.

Mais depuis qu'il avait des pertes de mémoire, il s'était mis à fréquenter le café et à attendre que la femme en blanc quitte sa chaise. Mme Kôtake n'en était d'abord pas revenue. En s'aggravant, la maladie d'Alzheimer pouvait entraîner des modifications de la personnalité, et M. Fusagi était effectivement devenu distrait. Il était tout à fait possible que ses croyances aient évolué aussi. Mais pour quelle raison voulait-il retourner dans le passé ? Mme Kôtake lui posait parfois la question, il éludait toujours la réponse en disant : « C'est un secret. »

— Il m'a dit qu'il voulait te remettre une lettre, dit soudain Kazu.

— À moi ? Une lettre ?

— Apparemment, il aurait raté l'occasion de te la donner…

— Ah bon, fit seulement Mme Kôtake après un silence.

Kazu craignit d'avoir dit quelque chose qu'il ne fallait pas. Mais, si Mme Kôtake avait réagi ainsi, c'est parce qu'elle n'arrivait pas à croire que M. Fusagi lui avait écrit une lettre. Car son mari savait à peine lire et écrire.

*

M. Fusagi avait grandi dans une famille pauvre, au sein d'un village qui se dépeuplait peu à peu. Contraint d'aider sa famille à tenir son commerce d'algues *nori*, il n'avait pas pu aller beaucoup à l'école. C'est pourquoi, même s'il savait écrire l'alphabet *hiragana*, il ne maîtrisait que les idéogrammes qu'on apprenait au cours des premières années d'école primaire.

Mme Kôtake et M. Fusagi s'étaient rencontrés vingt-trois ans auparavant, par l'intermédiaire d'une connaissance commune. Mme Kôtake avait vingt et un ans, M. Fusagi vingt-six. Les téléphones portables n'étant pas encore très répandus à l'époque, ils communiquaient par téléphone fixe ou par courrier. M. Fusagi voulait devenir jardinier paysagiste. Comme il était logé et nourri par son employeur, il communiquait surtout par lettres avec Mme Kôtake, qui venait de commencer ses études d'infirmière. Elle avait peu d'occasions de le voir, mais elle lui écrivait régulièrement.

Dans ses lettres, elle racontait plein de choses : des anecdotes qui lui étaient arrivées à l'école, ses impressions sur les livres qu'elle avait lus, ses rêves d'avenir, les petits et grands événements qui survenaient autour d'elle… Elle décrivait toujours de manière détaillée ce qu'elle avait ressenti et comment elle avait réagi. Elle rédigeait parfois jusqu'à dix pages.

Les réponses de M. Fusagi étaient toujours courtes. Parfois, sur une feuille entière, il écrivait seulement « C'était intéressant » ou « Je comprends ce que tu veux dire ». Au début, Mme Kôtake s'était dit qu'il devait être trop occupé au travail pour trouver le temps de lui répondre, mais au bout d'un moment elle se mit à douter qu'il éprouve le moindre intérêt pour elle. Elle lui envoya alors une lettre pour lui dire que, si elle ne l'intéressait pas, ils n'étaient pas obligés de poursuivre cette correspondance, et que, s'il ne répondait pas à ce courrier, elle se ferait une raison.

Alors qu'elle recevait toujours une réponse de sa part dans la semaine, un mois plus tard, elle n'avait toujours pas de nouvelles. Mme Kôtake était sous le choc. Les réponses de M. Fusagi avaient beau être laconiques, elles n'étaient jamais désagréables. Il y avait dans ses lettres une sincérité qui la touchait. En dépit de ce qu'elle lui avait écrit, elle ne pouvait ainsi se résoudre à accepter la situation et, un mois et demi plus tard, elle attendait toujours sa réponse.

Au bout de deux mois, elle reçut enfin une lettre de M. Fusagi. Il avait simplement écrit : « Marions-nous. »

Jamais aucun message n'avait fait battre si fort le cœur de Mme Kôtake.

Après avoir cherché en vain les mots justes pour égaler la sincérité de M. Fusagi, elle s'était finalement contentée d'une réponse simple : « Allons-y. » Ce n'est que plus tard qu'elle avait compris que M. Fusagi savait à peine lire et écrire. Lorsque les lettres qu'elle lui envoyait comportaient trop d'idéogrammes, il ne faisait que les contempler. Ensuite, en guise de réponse, il écrivait ce qu'il avait ressenti. Mais alors qu'il était en train de contempler la dernière lettre de Mme Kôtake, il avait eu la sensation qu'il était sur le point de perdre une chose précieuse. Il était donc allé se renseigner sur la signification de chaque mot auprès de différentes personnes de sa connaissance, c'est pour cela que sa réponse avait pris autant de temps.

*

Mme Kôtake doutait donc fort que son mari lui ait écrit une lettre.

— C'était une enveloppe beige de cette taille, dit Kazu en la dessinant avec les doigts.

— Une enveloppe beige ?

— Et si c'était une lettre d'amour ?! s'exclama Kei en faisant briller ses yeux ronds.

Mme Kôtake secoua la main, confuse.

— Mais non, ce n'est pas possible…

— Mais si c'en était une, tu ferais quoi ? demanda Kazu à son tour.

D'habitude, elle ne se mêlait pas des affaires des autres, mais elle essayait sans doute d'égayer l'atmosphère elle aussi.

Mme Kôtake décida de jouer le jeu, et même si elle savait pertinemment, à la différence des deux autres, que M. Fusagi savait à peine lire et écrire, elle répondit :

— Je crois que j'aimerais bien la lire.

Cela la fit rougir un peu. Ce n'était pas un mensonge : si M. Fusagi lui avait vraiment écrit une lettre d'amour, elle voulait la lire.

— Et si tu allais la chercher dans le passé ? proposa Kei.

Mme Kôtake la regarda d'un air ahuri.

— Qu'est-ce que tu racontes, grande sœur ?

Kazu ne s'attendait pas non plus à cette idée saugrenue.

— Cette lettre, elle t'est destinée, déclara Kei sur un ton déterminé.

— Attends, Kei, je ne te suis pas…

Mme Kôtake tenta de la calmer, mais il était trop tard. Kei était surexcitée et ses narines se gonflaient à chaque inspiration.

— Si M. Fusagi t'a écrit une lettre d'amour, il faut qu'elle te parvienne !

Elle s'était mis en tête que l'enveloppe de M. Fusagi contenait une lettre d'amour et plus rien ne pouvait l'arrêter. Mme Kôtake la connaissait depuis assez longtemps pour le savoir. Kazu poussa un soupir blasé, mais elle ne put s'empêcher de sourire.

Mme Kôtake jeta de nouveau un regard vers la chaise vide de la femme à la robe blanche. Elle n'avait jamais songé à retourner elle-même dans le passé. D'ailleurs, elle ne croyait qu'à moitié à cette histoire. Mais si c'était vraiment possible, alors elle avait un peu envie d'essayer. Et surtout, elle était intriguée par cette lettre. Si Kazu disait vrai, et qu'elle pouvait retourner au jour où son mari avait tenté en vain de lui donner cette enveloppe, elle saurait ce qu'elle contenait. Elle sentit un petit espoir monter en elle.

Mais pouvait-elle vraiment se permettre de se procurer la lettre de cette manière, alors que son mari projetait lui-même de retourner dans le passé pour la lui donner ? N'était-ce pas là une forme d'usurpation ?

Elle respira profondément et analysa calmement la situation. Si rien de ce qu'elle faisait dans le passé ne changeait le présent, même si elle se procurait la lettre, la situation resterait la même.

Mme Kôtake hésitait. Si elle remontait le temps pour prendre la lettre, dans le présent, M. Fusagi serait toujours en train d'essayer de retourner dans le passé pour la lui donner.

Elle vida son verre de Sept Bonheurs pour se donner de l'entrain.

— Pfiou ! expira-t-elle bruyamment, avant de reposer d'un coup sec son verre sur le comptoir et d'ajouter tout bas, comme pour se persuader elle-même : Mais oui, mais oui… Si cette enveloppe contient vraiment une lettre d'amour qui m'est adressée, cela ne pose pas de problème que je la lise.

Elle avait volontairement employé les termes « lettre d'amour » pour se débarrasser de sa mauvaise conscience.

Kei acquiesça par de grands hochements de tête et, imitant l'infirmière, elle termina son jus d'orange d'une traite.

Kazu, elle, reposa silencieusement son verre sur le comptoir et disparut dans la cuisine.

Mme Kôtake s'avança jusqu'à la place qui faisait voyager dans le passé. Elle sentait le sang circuler dans tout son corps. Elle se glissa lentement entre la table et la chaise et s'installa.

Les chaises de ce café avaient des pieds en cabriole ; elles possédaient ces courbes généreuses typiques des meubles anciens, et un tissu vert mousse clair était tendu sur l'assise et sur le dos. L'infirmière remarqua que toutes étaient comme neuves. Et pas seulement les chaises. Tout, dans le café, était éclatant de propreté. L'établissement avait ouvert ses portes au début de l'ère Meiji, soit il y avait presque un siècle et demi, pourtant il n'y avait pas un grain de poussière.

Il faut sûrement consacrer un temps fou au ménage pour arriver à un résultat pareil, se dit Mme Kôtake en poussant un soupir d'admiration. Elle sursauta en se rendant compte que Kazu, qui s'était approchée sans bruit, se tenait debout à côté de la table, avec un plateau d'argent sur lequel étaient posées une tasse de café toute blanche et une petite bouilloire argentée.

L'expression de Kazu donna un choc à Mme Kôtake. Son visage candide de jeune fille avait disparu, et il flottait autour d'elle une atmosphère mystérieuse et solennelle.

— Il est inutile que je te rappelle les règles ? dit-elle d'une voix calme et sur un ton un peu distant.

Mme Kôtake se les remémora en hâte :

On ne pouvait revoir que des personnes qui avaient déjà mis les pieds dans ce café, mais, étant donné que M. Fusagi y venait régulièrement, cela ne posait pas de problème.

Ensuite, le présent ne pouvait être modifié. Cela voulait dire que si un traitement miracle pour soigner Alzheimer était mis au point et que l'infirmière retournait dans le passé pour l'administrer à son mari, il souffrirait toujours des mêmes symptômes dans le présent. C'était une règle bien cruelle.

Il fallait également profiter du moment où la femme en blanc allait aux toilettes pour prendre sa place. On ne pouvait jamais prévoir à l'avance quand la place se libérerait, mais Mme Kôtake avait eu la chance de se trouver là pile au bon moment.

Une fois dans le passé, il était impossible de quitter sa chaise. Si on tentait de le faire, on était ramené de force dans le présent. Le café se trouvant en sous-sol, les téléphones ne captaient pas le réseau. Il était donc impossible de faire venir quelqu'un au café en lui passant un coup de fil. Ça aussi, c'était une règle bien agaçante.

Mme Kôtake avait entendu dire qu'il y a quelques années, la rumeur autour du café s'était soudainement propagée et que, tous les jours, des hordes de clients désirant retourner dans le passé s'étaient pressés à ses portes. Mais avec toutes ces règles contraignantes, il n'était pas étonnant que cela n'ait pas duré.

*

L'infirmière se rendit compte que Kazu attendait sa réponse.

— Je dois finir le café avant qu'il n'ait refroidi, c'est bien ça ?

— En effet.

— Autre chose que je dois savoir ?

Mme Kôtake se demandait comment on déterminait le jour et l'heure où on voulait revenir. Comme si elle avait lu dans ses pensées, Kazu ajouta :

— Concentre-toi pour te faire une image du jour où tu veux revenir.

— Une image ?

— Imagine un jour où M. Fusagi se souvient encore de toi, où il a l'intention de te donner sa lettre, où il est venu dans ce café avec…

Mme Kôtake répéta après elle, pour faire apparaître ces images dans sa tête :

— Un jour où il se souvient de moi, où il a l'intention de me donner sa lettre…

Un jour où M. Fusagi se souvenait encore d'elle. Mme Kôtake se remémora vaguement l'été d'il y a trois ans. À l'époque, M. Fusagi ne montrait encore aucun signe de la maladie.

Un jour où M. Fusagi avait l'intention de lui donner sa lettre. Ça, c'était difficile. Elle n'avait jamais reçu la lettre, elle n'en avait donc aucune idée. Mais cela n'aurait aucun sens de retourner dans un passé où son mari n'aurait pas encore écrit sa lettre. Mme Kôtake décida de l'imaginer simplement en train de la rédiger.

Et enfin, un jour où M. Fusagi était venu dans ce café avec la lettre. Ça, c'était crucial. À quoi bon revenir dans le passé et revoir M. Fusagi, s'il n'avait pas la lettre avec lui ? Heureusement, elle savait qu'il avait l'habitude de ranger ses affaires précieuses dans son porte-documents. S'il s'agissait vraiment d'une lettre d'amour, il devait la garder toujours sur lui, de crainte que Mme Kôtake ne tombe dessus. Difficile de deviner le jour où il comptait la lui donner, mais il y avait de fortes chances qu'il l'ait quand même avec lui. Elle imagina M. Fusagi avec son porte-documents.

— Tu es prête ? demanda Kazu d'une voix posée.

— Attends…

Mme Kôtake respira de nouveau profondément et répéta en chuchotant :

— Un jour où il ne m'a pas oubliée… La lettre… Ici, dans ce café…

Il était inutile de tergiverser. Décidée, Mme Kôtake regarda Kazu droit dans les yeux.

— C'est bon, je suis prête.

Kazu acquiesça, posa la tasse de café devant l'infirmière, puis elle souleva lentement la bouilloire en argent. Chaque mouvement était gracieux et précis, pareil à ceux d'une ballerine. Elle baissa les yeux vers l'infirmière et murmura :

— N'oublie pas… Il faut revenir avant que le café ne soit froid…

Au moment où ces paroles résonnaient dans la salle plongée dans le silence, Mme Kôtake sentit que l'atmosphère s'était tendue d'un coup.

Kazu commença à remplir la tasse. On aurait dit un rituel solennel.

Un mince filet de café noir sortit du bec fin et long de la bouilloire en argent. On n'entendait aucun bruit de liquide qui se déverse, comme lorsque le café est servi avec une carafe à large ouverture. Il coulait en silence, de la bouilloire à la tasse, avec une extrême lenteur.

Mme Kôtake n'avait jamais remarqué cette bouilloire. Elle était légèrement plus petite que celles qu'on avait l'habitude de voir dans les autres cafés. Mais elle avait quelque chose de noble et d'imposant. Si ça se trouve, le café a un goût spécial aussi, se dit-elle.

Des volutes de vapeur s'élevèrent lentement de la tasse pleine.

Au même instant, Mme Kôtake eut l'impression que le paysage autour d'elle ondulait. Elle se rappela qu'elle avait fini d'une traite son verre de Sept Bonheurs et pensa que l'alcool la faisait délirer.

Elle se trompait. Mme Kôtake sentit son cœur s'accélérer quand elle comprit que c'était son propre corps qui ondulait. Elle était en train de se transformer en vapeur de café. Le paysage autour d'elle s'était mis à défiler de haut en bas. Elle s'était changée en vapeur et elle remontait le temps.

Elle ferma les yeux. Non parce qu'elle avait peur, mais parce que, si elle était bien en train de voyager vers le passé, il fallait qu'elle se prépare psychologiquement à ce qui l'attendait.

*

C'était deux ans auparavant, dans les derniers jours de l'été, que Mme Kôtake avait remarqué pour la première fois un trouble dans le comportement de son mari.

Ce jour-là, elle préparait le dîner en attendant son retour. M. Fusagi était jardinier paysagiste. Son travail ne se limitait pas à tailler des branches et à couper des feuilles : il fallait réfléchir à l'équilibre entre le jardin et la maison. Le jardin ne devait être ni trop extravagant ni trop discret. « Ce qui est important, c'est l'équilibre », répétait-il toujours.

Son travail commençait tôt le matin, mais, une fois le soleil couché, il avait terminé. En général, M. Fusagi rentrait ensuite directement chez lui. Pour cette raison, lorsqu'elle n'était pas de service la nuit, Mme Kôtake l'attendait toujours pour qu'ils puissent dîner ensemble.

Alors que la nuit était tombée, il n'était toujours pas là. Cela ne lui ressemblait pas, mais l'infirmière se dit qu'il était peut-être allé boire un verre avec ses collègues.

En fin de compte, il arriva deux heures plus tard que d'habitude.

Une fois devant la porte, M. Fusagi sonnait toujours trois fois. *Ding-dong, ding-dong, ding-dong,* pour annoncer à sa femme qu'il était rentré.

Mais ce jour-là, la sonnette n'avait pas retenti. Il avait d'abord essayé de tourner la poignée dans tous les sens, puis il avait crié : « C'est moi ! »

Surprise, Mme Kôtake s'était empressée de lui ouvrir. Elle avait cru qu'il s'était blessé au point de ne pas pouvoir appuyer sur la sonnette.

Mais il se tenait là, l'air de rien. Il portait sa tenue habituelle : chemise de travail grise, pantalon bouffant bleu marine et sac d'outils à l'épaule. Il avait dit d'un air embarrassé : « Je me suis perdu ! »

Étant infirmière, Mme Kôtake savait déceler les premiers signes de la maladie, et elle était certaine que son mari ne s'était pas perdu par simple étourderie. Après cet incident, M. Fusagi se mit à oublier s'il était allé ou non travailler. Quand les symptômes s'aggravèrent, il se réveilla une fois en pleine nuit, persuadé d'avoir posé un lapin à un client important. Mme Kôtake n'essaya pas de le contredire et le calma en lui suggérant de vérifier cela au matin.

Elle était allée en parler à un spécialiste à l'insu de son mari. Elle avait redoublé d'efforts pour retarder, ne serait-ce qu'un peu, l'avancée de la maladie. Mais plus les jours passaient, plus ses trous de mémoire empiraient.

M. Fusagi aimait voyager. Surtout pour aller contempler des jardins. Sa femme faisait en sorte de prendre ses congés en même temps que lui pour l'accompagner. M. Fusagi avait beau rouspéter en disant qu'elle l'empêchait de travailler, cela ne la gênait pas. Quand il voyageait, il avait toujours les sourcils froncés, mais Mme Kôtake savait que, chez lui, c'était un signe de bonne humeur.

Une fois atteint d'Alzheimer, M. Fusagi avait continué de voyager, même s'il avait tendance à aller plusieurs fois aux mêmes endroits.

Au bout d'un moment, la maladie commença à avoir un impact sur le quotidien du couple. M. Fusagi oubliait ce qu'il avait acheté et il se fâchait tout seul en disant : « Mais qui a acheté ça ? »

Ils vivaient dans le même appartement depuis leur mariage, et plusieurs fois Mme Kôtake avait reçu un appel de la police qui l'avait trouvé en train d'errer à la recherche de son domicile.

Puis, il y avait six mois, M. Fusagi s'était mis à l'appeler par son nom de jeune fille, « Mme Kôtake ».

*

Au bout d'un moment, la sensation de vertige disparut. En ouvrant les yeux, Mme Kôtake vit le ventilateur de plafond qui tournait lentement. Elle sentit ses bras, ainsi que ses jambes. Elle avait retrouvé son corps. Mais était-elle bel et bien retournée dans le passé ?

Kazu et Kei n'étaient plus là. Mme Kôtake essaya de se calmer, mais son cœur battait la chamade. Elle balaya la salle du regard. « Il n'y a personne… » Elle qui s'attendait à voir son mari ! Sa déception était profonde.

Les yeux tournés distraitement vers le ventilateur de plafond, elle réfléchit. C'était dommage, mais c'était peut-être mieux ainsi. Elle se sentait même soulagée d'une certaine façon. Certes, elle était curieuse de lire la lettre, mais elle éprouvait de la culpabilité à l'idée de commettre cette « trahison ». S'il apprenait que sa femme était venue du futur pour lire sa lettre, M. Fusagi ne serait sûrement pas content.

Et puis, à quoi bon la lire si ça ne changeait rien au présent ? Si cela avait permis à son mari de guérir, elle l'aurait fait sans hésitation, même au péril de sa vie. Mais il n'y avait aucun rapport entre la maladie de M. Fusagi et sa lettre. Quoi que Mme Kôtake tente dans le passé, son mari finirait par oublier son existence.

Elle réfléchit calmement à la situation. Tout à l'heure, son mari lui avait demandé s'ils s'étaient déjà rencontrés quelque part, ce qui l'avait complètement bouleversée. Elle avait cédé à l'émotion. Alors qu'elle savait pertinemment qu'un jour, cela arriverait, elle avait perdu son sang-froid. Cela se résumait à ça. Elle n'avait plus rien à faire ici, il fallait retourner dans le présent. Même si elle devenait une étrangère pour son mari, elle pouvait continuer de le soigner. Elle se rappela qu'elle s'était résolue à être une infirmière pour lui. « Mais comment ai-je pu croire que c'était une lettre d'amour ? » dit-elle tout bas, puis elle tendit son bras vers la tasse.

Ding-dong.

Quelqu'un entrait. Pour accéder au *Funiculi funicula,* il fallait descendre un escalier et pousser une lourde porte en bois de deux mètres de haut. C'est à ce moment-là que la cloche faisait résonner son « Ding-dong », mais pour arriver vers la salle il fallait encore faire quelques pas dans le vestibule et tourner vers la droite. Il y avait donc un laps de temps de quelques secondes entre le son de la cloche et le moment où l'on voyait, de l'intérieur du café, qui entrait.

Pour cette raison, Mme Kôtake ne savait pas encore qui avait poussé la porte. Nagare ? Kei ? Elle se rendit compte qu'elle était un peu nerveuse. Ou impatiente, pour être plus exacte. Une expérience pareille, ça n'arrivait pas tous les jours. Ça ne se reproduirait peut-être même plus jamais. Si c'était Kei qui entrait, celle-ci lui demanderait peut-être ce qu'elle faisait là. Si c'était Kazu, elle ferait sûrement comme si de rien n'était, ce qui serait moins drôle.

Mme Kôtake imaginait toutes sortes de scénarios dans sa tête. Mais ce fut la silhouette de M. Fusagi qui apparut.

L'infirmière laissa échapper un petit cri d'étonnement. Elle n'avait pas envisagé que son mari puisse arriver après elle. Il portait un polo bleu marine et un short beige, sa tenue habituelle quand il était de repos. Il devait faire chaud dehors, car il agitait son porte-documents comme un éventail.

Mme Kôtake était comme paralysée. Son mari restait debout à l'entrée du café et l'observait, intrigué. Elle ne savait pas comment entamer la conversation. Jamais M. Fusagi ne l'avait dévisagée ainsi, ni avant ni après leur mariage. Elle se sentait mi-heureuse, mi-embarrassée.

Lorsqu'elle s'était préparée à remonter le temps, elle s'était imaginé le passé d'il y avait trois ans, mais il n'y avait aucune preuve qu'elle était retournée à la période souhaitée. Elle aurait tout à fait pu rater son coup et revenir trois jours en arrière. Cette histoire d'images, c'était bien trop vague.

— Ah ben, t'étais là, dit-il sur un ton bourru.

C'était son ton habituel, ou plutôt celui qu'il avait avant sa maladie. Mme Kôtake reconnut son mari tel qu'il était dans ses souvenirs.

— Je t'attendais, mais comme tu mettais du temps à rentrer…

Sur ces mots, il détourna le regard, fronça les sourcils d'un air mécontent et s'éclaircit la gorge.

— Chéri… Je peux t'appeler comme ça, n'est-ce pas ? Qui suis-je, à ton avis ?

— Quoi ?

M. Fusagi la regardait avec méfiance. Mais elle ne plaisantait pas. À présent qu'elle se savait dans le passé, il fallait qu'elle vérifie *quand*. Était-elle revenue avant ou après que son mari était atteint d'Alzheimer ?

— Dis-moi comment je m'appelle.

— Tu te moques de moi ? s'emporta M. Fusagi.

Mais Mme Kôtake semblait ravie et elle secoua la tête en disant :

— Non… Ne t'en fais pas…

Cette petite conversation lui avait suffi pour tout comprendre. Elle était de retour. Il n'y avait pas d'erreur possible. L'homme en face d'elle était bien le M. Fusagi qui n'avait pas encore perdu la mémoire. Si elle s'était représenté les choses correctement dans sa tête, il s'agissait du M. Fusagi d'il y avait trois ans.

Mme Kôtake, tout sourires, tourna son café en faisant tinter sa cuillère contre les parois de la tasse.

— T'es bizarre, toi, fit M. Fusagi en la voyant ainsi.

S'apercevant qu'ils étaient seuls dans le café, il appela le patron en regardant vers la cuisine. Comme personne ne répondait, il fit le tour du comptoir en faisant résonner ses sandales et jeta un coup d'œil dans l'arrière-salle.

— Ben quoi, y a personne ?

M. Fusagi s'installa au comptoir en bougonnant, sur le siège le plus éloigné de Mme Kôtake.

Elle feignit de toussoter.

— Quoi, encore ? dit-il en se tournant vers elle.

— Pourquoi tu t'assieds là ?

— Je m'assieds où je veux, non ?

— Si tu venais ici ?

Elle tapota la table pour signifier à son mari que la chaise en face d'elle était libre, mais celui-ci se renfrogna.

— Non, c'est bon.

— Pourquoi tu n'as pas envie ?

— Parce que des époux de notre âge qui s'assoient à la même table d'un café, c'est ridicule.

Il avait dit ça en fronçant les sourcils, mais cela ne signifiait pas forcément qu'il était contrarié, mais plutôt qu'il était de bonne humeur ou voulait cacher sa gêne.

— C'est vrai, on est des époux…

Elle était si contente d'avoir entendu le mot « époux » de la bouche de son mari.

— Arrête d'être aussi bête…

Quoi que dise M. Fusagi, cela remplissait Mme Kôtake de nostalgie. Et de bonheur. Elle but une gorgée de café.

— Ah !

En réalisant qu'il était tiède, l'infirmière se souvint que le temps était compté. Elle avait une mission à accomplir avant que ce café ne refroidisse complètement.

— Ch… chéri ! Tu n'aurais pas quelque chose à me donner ?

Le cœur de Mme Kôtake battait la chamade. S'il l'avait écrite avant de tomber malade, c'était peut-être vraiment une lettre d'amour. Elle était quasiment convaincue que ce n'était pas possible, mais quand même, si c'en était une, elle voulait la lire. Encouragée par l'idée que, de toute façon, rien ne changerait dans le présent, elle fonça :

— Un objet de cette taille, ça ne te dit rien ?

Elle dessina l'enveloppe avec ses doigts en imitant le geste qu'avait fait Kazu. M. Fusagi s'immobilisa soudain et lui lança un regard sombre. Mme Kôtake comprit alors qu'elle venait de commettre une bourde.

Une situation similaire s'était produite à l'époque où ils venaient de se marier. La veille de son anniversaire, Mme Kôtake avait trouvé par hasard, parmi les affaires de son mari, le cadeau qu'il comptait lui offrir. Elle était folle de joie. C'était son premier cadeau.

Le lendemain, quand son mari était rentré du travail, elle n'avait pas pu s'empêcher de lui demander : « Tu n'aurais pas quelque chose à me donner, aujourd'hui ? » Après un silence, M. Fusagi avait répondu : « Je ne vois pas de quoi tu parles. » Et c'était tout. Quelques jours plus tard, elle avait trouvé le cadeau dans la poubelle. C'était un mouchoir en tissu mauve.

Mme Kôtake venait donc de répéter la même erreur. Son mari détestait qu'on devine ce qu'il comptait faire. Désormais, même s'il avait la lettre sur lui, il ne voudrait jamais la lui donner. Surtout si c'était une lettre d'amour.

Quelle maladresse ! Être pressée par le temps n'excusait pas tout. M. Fusagi la fixait toujours de son regard sombre.

Mme Kôtake lui fit alors un grand sourire et dit avec désinvolture :

— Pardon, c'est sans importance. Oublie ce que j'ai dit. Tiens, si on mangeait un *sukiyaki*[1] ce soir ? proposa-t-elle.

C'était le plat préféré de M. Fusagi. En général, l'idée de manger un *sukiyaki* suffisait à le mettre de bonne humeur.

Mme Kôtake saisit sa tasse de café et en vérifia la température de la paume de la main. *Ça va, j'ai encore un peu de temps.*

Elle décida de profiter au maximum de ces instants précieux avec son mari. *Je vais arrêter de penser à cette lettre d'amour.* D'après la réaction de M. Fusagi, il était clair qu'il lui avait bien écrit une lettre. Sinon, il se serait contenté de dire sur

1. Fondue japonaise où l'on fait cuire de fines lamelles de bœuf et des légumes dans un mélange de sauce soja, de saké, de mirin et de sucre.

un ton bourru : « Mais qu'est-ce que tu racontes ? » Tel qu'elle le connaissait, il était tout à fait capable de jeter la lettre, à présent. Mme Kôtake décida de changer de stratégie afin de ne pas répéter l'erreur qu'elle avait commise lors de son anniversaire.

M. Fusagi affichait encore son visage grave. Mais ça aussi, ça arrivait souvent. Elle pensa que c'était pour ne pas montrer combien le mot « *sukiyaki* » l'avait aussitôt mis de bonne humeur. Il n'aimait pas exprimer ses sentiments. Il était comme ça avant de contracter Alzheimer. Même quand il faisait la tête, Mme Kôtake le trouvait attendrissant. Elle savourait de tout son cœur le bonheur d'avoir retrouvé le temps perdu.

Mais elle avait mal interprété son attitude.

— C'était donc ça… Je comprends, maintenant, murmura M. Fusagi, tandis que son visage s'assombrissait.

Il se leva de son tabouret et s'avança d'un pas ferme jusqu'à la table de Mme Kôtake.

— Que… qu'est-ce qui se passe ? dit-elle en levant la tête vers lui.

Debout, les mains sur la taille, il braquait sur elle un regard sévère.

— Mais enfin, qu'est-ce qui t'arrive ?!

Elle ne l'avait jamais vu ainsi.

— Tu viens du futur, c'est ça ?

Dans un autre contexte, la question de M. Fusagi aurait pu paraître totalement saugrenue. Mais là, c'était la vérité. Mme Kôtake venait bel et bien du futur.

— Ah… Euh…

Elle fouilla fébrilement dans sa mémoire, afin de s'assurer qu'il n'existait pas de règle selon laquelle il était interdit de révéler à quiconque qu'on venait du futur.

— En fait…

— Je trouvais ça bizarre que tu sois assise à cette place.

— Je vais t'expliquer…

— Alors, tu es au courant, pour ma maladie ?

Mme Kôtake crut que son cœur allait s'arrêter.

Elle pensait être retournée dans un passé où M. Fusagi n'était pas encore malade, mais elle s'était trompée. Le M. Fusagi qui se trouvait en face d'elle était au courant. D'après sa tenue, on était en été. Dans ce cas, elle était probablement revenue deux ans en arrière, lorsqu'elle avait découvert la maladie de son mari. Cela ne pouvait pas être l'été précédent. Ses symptômes s'étaient alors déjà aggravés et il ne leur était plus possible d'avoir une conversation fluide.

Mme Kôtake croyait être retournée trois ans en arrière, mais elle était en fait revenue à une date qui répondait aux critères qu'elle avait imaginés : un jour où son mari ne l'avait pas encore oubliée, où il avait l'intention de lui donner sa lettre et où il se trouvait dans le café.

Ainsi, il l'avait rédigée après que sa maladie s'était déclarée. Dans ce cas, il n'y avait aucune chance qu'il s'agisse d'une lettre d'amour. Le M. Fusagi qui se tenait devant Mme Kôtake était conscient d'être atteint d'Alzheimer. La lettre était probablement à propos de sa maladie. Le regard sombre qu'il venait de lui lancer ne laissait aucune place au doute.

— Tu es au courant, c'est ça ? demanda-t-il en élevant la voix sur un ton réprobateur.

Inutile d'essayer de mentir. Mme Kôtake acquiesça sans dire un mot.

— Je vois..., fit-il d'une voix faible.

Mme Kôtake rassembla ses esprits. Elle devait éviter à tout prix de dire à son mari quelque chose qui aurait risqué de l'ébranler.

Si c'était pour que les choses prennent une telle tournure, elle aurait mieux fait de ne pas revenir dans le passé. Elle avait honte de s'être monté la tête en croyant à une lettre d'amour et elle en concevait de profonds regrets. Mais ce n'était pas le moment de penser à elle. M. Fusagi demeurait silencieux, abattu. Mme Kôtake ne l'avait jamais vu ainsi. Son cœur se serra.

— Mon chéri...

Soudain, il retourna au comptoir. Il ouvrit le porte-documents qu'il avait laissé là pour en sortir une enveloppe beige et revint vers Mme Kôtake. Il ne paraissait ni troublé ni désespéré, mais plutôt honteux. Il marmonna d'une voix rauque et presque inaudible :

— La personne que tu étais ne savait pas encore que j'étais malade...

Il pensait donc qu'elle n'était toujours pas au courant. Alors que c'était précisément à ce moment-là qu'elle avait commencé à avoir des doutes.

— Je ne sais pas comment te le dire…

M. Fusagi lui montra l'enveloppe beige. Il avait voulu lui annoncer sa maladie par écrit.

Cela ne sert à rien que je lise cette lettre, puisque je sais déjà, se dit Mme Kôtake. C'est la « moi » du passé qui aurait dû la lire. Mais il n'a pas réussi à me la remettre. Après tout, c'est aussi bien comme ça. C'est ça, la réalité.

Il valait mieux éviter de discuter davantage. Sinon, il demanderait sûrement comment sa maladie allait évoluer. Le choc serait terrible. Il fallait qu'elle retourne dans le présent avant qu'il ne lui pose la question. Le café n'était plus très chaud, elle pouvait le boire d'une traite.

— Je vais le boire avant qu'il ne refroidisse…, dit-elle avant d'approcher la tasse de ses lèvres.

— Alors, je vais t'oublier, c'est ça ?

M. Fusagi avait dit ça dans un murmure, la tête baissée.

Mme Kôtake sentit son esprit se vider d'un coup. Elle ne savait même plus pourquoi il y avait une tasse de café sous ses yeux.

Si tu vas m'oublier ?…

Elle leva craintivement son visage vers lui. Il la regardait d'un air triste. Elle ne pouvait pas croire que son mari puisse avoir une expression pareille. Elle était à court de mots. Incapable de soutenir son regard, elle baissa les yeux. Mais garder le silence, c'était comme répondre par l'affirmative.

— Je vois… C'est bien ce que je craignais…

La tête de M. Fusagi s'était affaissée en avant, comme si son cou allait se tordre.

Mme Kôtake avait les larmes aux yeux. Depuis qu'on lui avait diagnostiqué sa maladie, son mari avait affronté la situation dans la plus grande solitude, luttant contre la peur de voir sa mémoire disparaître petit à petit et faisant tout pour que sa femme ne se rende compte de rien. Et la première chose qu'il avait voulu savoir en la voyant arriver du futur, c'était s'il l'avait oubliée. Mme Kôtake en était heureuse, et en même temps profondément triste. Voilà pourquoi elle releva la tête, sans même essuyer ses larmes. Elle esquissa le plus grand sourire possible, pour qu'il croie qu'elle pleurait de joie.

— Figure-toi qu'en fait, ta maladie a régressé…

C'est le moment d'être forte, en tant qu'infirmière.

— Dans le futur, tu vas m'avouer…

Quoi que je dise, la réalité sera la même.

— … qu'à une certaine période, tu avais nourri certaines inquiétudes…

Si seulement, grâce à ce mensonge, ses inquiétudes pouvaient disparaître au moins un instant…

Mme Kôtake était prête à tout pour qu'il croie à son mensonge. Sa voix était étranglée par les sanglots et son visage baigné de larmes, mais elle continua de sourire.

— Ça va aller…

Ça va aller !

— Tu vas guérir…

Tu vas guérir !

— Sois rassuré…

Je te promets que tu vas guérir !

Elle avait articulé chaque mot avec la plus grande conviction. Ce n'étaient pas des mensonges. Même si elle savait que M. Fusagi finirait par l'oublier et que la réalité ne changerait pas.

M. Fusagi la regardait droit dans les yeux. Elle le fixa à son tour, sans battre des paupières. Malgré les larmes qui ruisselaient.

Il avait l'air content, et il dit tout bas :

— Ah, d'accord…

Mme Kôtake hocha la tête. Son mari paraissait apaisé. Il regarda l'enveloppe beige qu'il avait dans les mains, puis il s'approcha lentement d'elle. Ils pouvaient presque se toucher.

— Tiens…

Il lui tendit l'enveloppe, comme un petit enfant. Mme Kôtake la repoussa doucement.

— C'est inutile, puisque tu vas guérir.

— Alors, tu n'auras qu'à la jeter, insista M. Fusagi.

Il l'avait dit avec une telle douceur, lui qui était d'habitude si bourru, que Mme Kôtake fut prise d'angoisse. Elle avait la désagréable impression que quelque chose d'important lui échappait.

M. Fusagi lui tendit l'enveloppe de nouveau.

Les mains tremblantes, elle l'accepta, sans comprendre ce qu'il avait derrière la tête.

— Vas-y, avant que ça ne refroidisse…

M. Fusagi connaissait bien les règles, lui aussi. Il pressa Mme Kôtake de finir son café tout en la couvant d'un regard tendre.

Elle acquiesça et avança la main vers son café, incapable de dire quoi que ce soit. Après s'être assuré qu'elle avait bien saisi la tasse, M. Fusagi lui tourna le dos. Les moments passés en tant que mari et femme allaient prendre fin. De grosses larmes roulèrent sur les joues de Mme Kôtake.

— Chéri !

Mais M. Fusagi ne se retourna pas. Elle crut voir que son dos tremblait un peu. Mme Kôtake but son café d'une traite. Non parce qu'il commençait à refroidir, mais parce qu'elle venait de comprendre que, si son mari lui tournait le dos, c'était pour son bien, pour qu'elle puisse rentrer à temps dans le présent. Il faisait toujours preuve de gentillesse de manière indirecte.

— Chéri…

Mme Kôtake eut la sensation que son corps se mettait à onduler. Elle reposa sa tasse sur la soucoupe et vit sa main se transformer en vapeur. Il ne lui restait plus qu'à revenir dans le présent. Ces brefs et précieux instants en tant que couple véritable étaient terminés.

En entendant la tasse tinter, M. Fusagi la regarda. Mme Kôtake n'avait aucune idée de l'apparence qu'elle avait, mais il semblait que son mari arrivait encore à la distinguer clairement.

Tandis que sa conscience s'évaporait petit à petit, elle vit qu'il remuait légèrement les lèvres.

Elle crut lire qu'il disait « Merci ».

La conscience de Mme Kôtake s'était complètement changée en vapeur, et elle se laissa porter du passé vers le présent. L'intérieur du café défilait de haut en bas, comme en accéléré. Mme Kôtake n'arrivait pas à retenir ses larmes qui ne cessaient de couler.

Quand elle reprit ses esprits, elle vit surgir dans son champ de vision les visages de Kazu et de Kei. Elle était revenue à ce jour où M. Fusagi avait complètement oublié qui elle était.

Kei fut prise d'inquiétude en la voyant.

— Et l'enveloppe ? demanda-t-elle, se gardant bien de parler de lettre d'amour.

Mme Kôtake baissa les yeux sur la lettre qu'elle avait reçue des mains de son mari dans le passé et la décacheta lentement. En la dépliant, elle reconnut l'écriture en pattes de mouche qu'elle connaissait bien. L'écriture de M. Fusagi.

Elle commença sa lecture, suivant des yeux les caractères. Soudain, elle porta la main à sa bouche et tenta d'étouffer un sanglot. Les larmes se mirent à rouler sur ses joues.

— Madame Kôtake ? Ça va ?

Les épaules de Mme Kôtake tremblaient, et bientôt elle se mit à sangloter éperdument. Kazu et Kei la regardaient, impuissantes.

L'infirmière tendit la feuille à Kazu. La serveuse hésitait à prendre cette lettre qui ne lui était pas destinée, mais Kei lui fit signe d'accepter. Kazu se mit à lire à voix haute :

« … *Comme tu es infirmière, tu t'es peut-être déjà rendu compte que j'ai une maladie qui me fait oublier toutes sortes de choses.*

Même si ma mémoir continu à flancher,
même si j'ai un comportement bizzarre,
même si je t'oubli,
je sais que tu gardera ton calme, que tu prendra soin de moi, et que tu te sacrifiera pour qu'on continue à vivre ensemble.
Mais n'oubli pas une chose.
Puisquon est un couple, si ça devient trop dur pour toi d'être ma femme, alor tu n'a qu'à me quitter.
Tu n'a pas besoin d'être mon infirmière.
Si tu en a assez de moi en tant que mari, alor quitte-moi.
Ne te force pas à en faire plus que tu ne peu.
Toi et moi, on est un couple.
Même si je perd la mémoire, je veu qu'on continu à être mari et femme.
Je ne veu pas que tu reste avec moi par pitié.
Comme je n'étais pas capable de te le dire en face, je l'ai écrit. »

À l'instant où Kazu finit de lire la lettre, Mme Kôtake et Kei levèrent les yeux au plafond et éclatèrent en sanglots.

Mme Kôtake comprenait maintenant pourquoi son mari lui avait remis la lettre, à elle qui venait du futur. Il savait qu'elle découvrirait sa maladie et comment elle réagirait. Et en effet, elle se comportait maintenant avec lui comme une infirmière.

Alors qu'il vivait dans la peur et l'angoisse de perdre la mémoire, tout ce qu'il voulait, c'était que Mme Kôtake continue d'être une épouse avec lui. Ses pensées étaient constamment tournées vers elle. Même si sa mémoire disparaissait. Voilà pourquoi il parcourait toujours des magazines de voyages.

Mme Kôtake avait remarqué un jour qu'il avait entouré les noms des lieux où ils étaient allés voir des jardins. Sur le moment, elle avait attribué ça à la persistance de son amour pour son métier de paysagiste. Mais elle était loin du compte. Il avait entouré tous les lieux où ils s'étaient rendus ensemble. Et dire qu'elle ne l'avait pas compris. En prenant ces notes, M. Fusagi luttait pour ne pas oublier sa femme.

Bien sûr, elle ne regrettait pas de s'être comportée en infirmière avec lui. D'ailleurs, M. Fusagi ne voulait pas la blâmer dans sa lettre. Même si elle lui avait menti en lui disant qu'il allait guérir, il avait eu envie de croire à ce mensonge, et c'était bien ainsi. Sinon, il ne l'aurait pas remerciée avant qu'elle ne disparaisse.

Alors que Mme Kôtake avait enfin séché ses larmes, la femme en blanc sortit des toilettes. Elle se planta devant l'infirmière et dit simplement d'une voix grave :

— Pousse-toi.

Mme Kôtake s'empressa de se lever pour céder sa place.

Les paupières gonflées par les larmes, elle s'était néanmoins ressaisie, et se tourna vers Kazu et Kei.

— Et voilà, vous savez tout, dit-elle en riant.

Kei hocha la tête plusieurs fois. Un flot de larmes ruisselait encore de ses yeux ronds. À ce rythme-là, elle va se déshydrater ! pensa Mme Kôtake. Puis elle murmura en regardant la lettre :

— Qu'est-ce que j'ai fabriqué pendant tout ce temps ?

Elle replia soigneusement la lettre et la remit dans son enveloppe.

— Allez, je rentre, dit-elle.

Sa voix était pleine d'assurance.

Elle poussa un grand soupir de contentement. Il n'y avait pas l'ombre d'une hésitation sur son visage, et elle paraissait comme libérée. Elle récupéra le sac qu'elle avait laissé au comptoir et sortit 380 yens de son portefeuille.

— Merci, dit-elle en donnant les pièces à Kazu.

Elle inclina la tête, puis se dirigea vers la sortie. Son pas était léger. Elle avait hâte de revoir le visage de son mari.

À peine avait-elle quitté la salle qu'elle poussa un « Ah ! » et fit demi-tour.

Alors que Kei et Kazu se regardaient sans comprendre, Mme Kôtake leur lança :

— À partir de demain, interdiction de m'appeler par mon nom de jeune fille !

À l'origine, c'était elle qui avait demandé qu'on l'appelle « Mme Kôtake ». Elle voulait éviter de troubler son mari. Mais il n'était plus nécessaire de s'en soucier.

Kei répondit gaiement :

— Bien reçu !

— Et faites passer le message, ajouta Mme Kôtake en leur disant au revoir de la main, et elle sortit sans attendre leur réponse.

Ding-dong.

Kazu répondit « Entendu », comme pour elle-même, puis elle mit les pièces de Mme Kôtake dans le tiroir-caisse.

Kei débarrassa la table de la femme à la robe blanche et disparut dans la cuisine pour lui préparer un autre café.

Kazu tapait sur les touches de la caisse enregistreuse, dont le bruit résonnait dans la salle bien fraîche.

Le ventilateur de plafond tournait sans bruit, comme d'habitude.

Kei revint dans la salle et, tout en servant la femme en blanc, elle murmura :

— J'espère que nous passerons ensemble un bel été.

La femme en blanc l'ignora et poursuivit sa lecture, tandis que Kei posait la main sur son ventre, un grand sourire aux lèvres.

L'été ne faisait que commencer.

3
Les sœurs

Une jeune fille était sagement assise à la fameuse place.

Elle avait de grands yeux et semblait avoir l'âge d'être au lycée. Elle portait un col roulé beige et une minijupe écossaise, des collants noirs et des bottes à sangles marron foncé. Un duffle-coat vermillon était posé sur le dos de la chaise. Elle avait le style vestimentaire d'une ado plutôt mûre, mais ses traits dégageaient encore quelque chose d'enfantin. Ses beaux cheveux noirs lui descendaient jusqu'au bas du menton en formant un carré arrondi, tandis que ses longs cils donnaient du relief à son visage non maquillé.

Elle avait beau venir du futur, sans cette règle contraignante qui l'empêchait de quitter son siège, elle aurait tout à fait pu aller se balader à l'extérieur et se fondre dans le décor. Seulement, on était au début du mois d'août. Sa tenue n'était pas vraiment adaptée à la saison.

À qui donc cette jeune fille venait-elle rendre visite ? Difficile de le savoir, car il n'y avait à ce moment-là au café que Nagare Tokita, le patron aux yeux effilés. Il se tenait debout derrière le comptoir en tenue de cuisinier, les bras croisés. Et visiblement, ce n'était pas pour lui qu'elle était là.

Nagare était un grand gaillard. Une jeune fille ordinaire – et toute femme en général, d'ailleurs – aurait pu se sentir mal à l'aise en étant seule avec lui dans un café aussi petit. Mais la jeune fille restait parfaitement impassible.

Ni l'un ni l'autre ne disait mot. Parfois, elle jetait un coup d'œil vers l'une des horloges, comme si elle se souciait de l'heure.

Soudain, les narines de Nagare se mirent à frémir. Du fond de la cuisine, un *Ting!* annonça que les toasts étaient prêts.

Le patron se dirigea d'un pas lourd vers la cuisine et on l'entendit manipuler des ustensiles. La jeune fille ne lui prêtait toujours aucune attention. Elle but une gorgée et eut un petit hochement de tête d'approbation. Le café devait être encore chaud, car elle affichait un air satisfait.

Nagare ressortit de la cuisine avec un plateau carré sur lequel étaient disposés une assiette de toasts, du beurre, de la salade et un yaourt aux fruits. C'était un beurre maison dont Nagare était fier. Il était si bon que Yaeko Hiraï, la femme aux bigoudis, venait spécialement en chercher avec un tupperware.

Lorsqu'un client s'émerveillait en goûtant son beurre, Nagare se sentait heureux. Le problème, c'était que, vu son coût de fabrication élevé, ce beurre ne générait aucun bénéfice. Nagare mettait en effet un point d'honneur à ne pas facturer les garnitures aux clients, point d'honneur dont son entourage se serait bien passé.

Nagare s'approcha de la jeune fille avec son plateau. Comme elle était toute menue, le patron avait l'air d'une armoire à glace à côté d'elle. Il baissa les yeux sur elle et lui dit sans détour :

— Tu es venue voir quelqu'un, c'est ça ?

Avec ses grands yeux, la jeune fille, nullement impressionné, rendit son regard à l'armoire à glace qui se dressait devant elle. Nagare, qui était habitué à ce que sa seule présence surprenne ou effraye les gens, sembla quelque peu déstabilisé.

— Quoi, j'ai quelque chose sur la figure ?

— Non, répondit l'imperturbable jeune fille, avant de reprendre une gorgée de café.

Elle se fichait complètement de la présence de Nagare.

Perplexe, celui-ci posa doucement le plateau sur la table et retourna au comptoir sans dire un mot.

Cette fois-ci, ce fut la jeune fille qui se montra déconcertée, et Nagare lui demanda :

— Il y a un souci ?

— Ben, je n'ai rien commandé, dit-elle en pointant du doigt l'assiette de toasts posée devant elle.

— Offert par la maison, dit-il fièrement. Une jeune fille de ton âge qui fait le voyage depuis le futur, je ne vais quand même pas la laisser repartir le ventre vide.

Nagare s'attendait sûrement à un merci, mais la jeune fille se contenta de le regarder.

— Il y a un souci ? demanda-t-il de nouveau, confus.

— Non, rien, dans ce cas, je vais manger.

— Il en faut peu pour te convaincre, dis donc.

— Bah, je n'ai aucune raison d'avoir des soupçons.

La jeune fille beurra un toast, avant de mordre dedans avec un *scrunch* sonore. Elle mangeait avec appétit. Nagare s'attendait à une réaction enthousiaste au sujet de ce beurre dont il était si fier. Mais elle ne dit rien. La jeune fille finit ses toasts croustillants, avala sa salade croquante, engloutit son yaourt onctueux, puis elle joignit les mains pour signifier qu'elle avait fini son repas.

Ding-dong.

Kazu entra dans le café. Alors qu'elle tendait le trousseau de clés à Nagare, elle remarqua la jeune fille.

— C'est qui ? murmura-t-elle en tirant son cousin par la manche.

— Aucune idée, fit-il, la mine renfrognée.

D'habitude, Kazu ne prêtait pas attention aux personnes assises à cette place. Elle ne se mêlait pas des histoires de ces clients probablement venus du futur dans le but de revoir quelqu'un. Mais cette jeune fille était si mignonne qu'elle ne put s'empêcher de la dévisager avec curiosité.

La jeune cliente remarqua son regard et lui dit « Bonjour » avec un sourire avenant.

Nagare, qui n'avait pas eu droit à une telle faveur, fronça les sourcils.

— Tu es venue voir quelqu'un ?

— Oui, en quelque sorte…

La jeune fille avait répondu volontiers à Kazu. Nagare fit la moue. Il lui avait posé la même question tout à l'heure, mais elle n'avait même pas daigné répondre. Vexé, il grommela : « Mais il n'y a personne à part nous », et il lui tourna le dos.

Kazu se tapota le menton. Qui cette jeune fille était-elle venue voir ?

— Oh… Se pourrait-il que… ?

Elle pointa Nagare du doigt.

— Hein ? Moi ? fit le patron.

Il croisa les bras et se mit à réfléchir. La jeune fille était là depuis environ dix minutes. Kei avait rendez-vous chez l'obstétricien, et Nagare avait demandé à Kazu de l'accompagner. En temps normal, c'était lui qui accompagnait son épouse à ses consultations médicales, mais il considérait le service d'obstétrique comme un sanctuaire réservé aux femmes et il avait préféré rester seul au café ce jour-là.

Aurait-elle choisi ce moment en sachant que je serais seul ?

Le cœur de Nagare s'emballa.

En fait, si elle est comme ça avec moi, c'est qu'elle est timide…

Persuadé d'avoir tout compris, il hocha la tête en se caressant le menton, puis il quitta le comptoir avec aplomb pour s'installer en face de la jeune fille.

Elle le regarda sans rien dire. Mais Nagare affichait à présent un petit air narquois.

Dire qu'elle me lançait ce regard glacial pour cacher sa timidité… Comme c'est mignon…

Il posa un coude sur la table.

— Alors, comme ça, c'est moi que tu es venue voir ?

— Non.

— Tu es venue me voir, non ?

— Non.

— Tu… tu n'es pas venue me voir ?

— Non.

Elle se montrait totalement fermée.

— Au moins, ça a le mérite d'être clair, fit Kazu.

— Ce n'est donc pas moi…

Nagare retourna au comptoir.

La jeune fille sembla amusée et elle pouffa de rire avec malice.

Ding-dong.

En entendant la cloche, elle riva ses yeux sur l'horloge du milieu. Elle savait que c'était la seule qui indiquait l'heure exacte. Elle braqua ensuite son regard sur l'entrée du café.

Kei apparut, vêtue d'une robe bleu clair et chaussée de sandales à lacets. Elle agitait un grand chapeau de paille en guise d'éventail.

— Encore merci de m'avoir accompagnée, dit-elle à Kazu.

Elle avait dû faire un détour par la supérette, car elle avait un petit sac plastique à la main. De nature insouciante, Kei était aimable et peu farouche. Aucun client ne l'intimidait, et elle n'hésitait jamais à adresser la parole aux étrangers qui ne maîtrisaient pas le japonais.

Elle souhaita la bienvenue à la jeune fille, comme elle le faisait toujours. Son sourire était particulièrement avenant et sa voix, légèrement plus aiguë que d'habitude.

La jeune fille se redressa sur sa chaise et lui fit un petit salut de la tête, le regard fixé sur elle.

Kei lui sourit de nouveau, puis elle se dirigea tranquillement vers l'arrière-salle.

— Ça s'est passé comment ? lui demanda Nagare, le visage un peu grave.

Kei tapota son ventre encore plat, puis elle fit le V de la victoire avec les doigts, le visage radieux.

— D'accord, fit Nagare en plissant les yeux et en inclinant la tête plusieurs fois.

Kei, qui savait que son mari était incapable d'exprimer ouvertement sa joie, le regarda d'un air heureux.

La jeune fille les observait avec bienveillance de ses yeux ronds et interpella Kei lorsqu'elle se dirigea vers l'arrière-salle :

— Excusez-moi !

Sa voix avait résonné plus fort qu'elle n'aurait cru.

En croisant le regard de Kei, la jeune fille baissa la tête. On aurait dit qu'elle n'osait pas parler.

— Qu'y a-t-il ?

Encouragée par Kei, la jeune fille se résolut à lever son visage d'une ravissante pureté. L'expression froide qu'elle affichait tout à l'heure face à Nagare avait complètement disparu.

— Est-ce que…

— Oui, dis-moi ?

— Est-ce qu'on peut… prendre une photo ensemble ?

— Tu veux dire, toi et moi ?

Kei battit des paupières, incrédule.

— C'est ça, répondit la jeune fille.

— Avec elle, t'es sûre ? vérifia Nagare en pointant Kei du doigt.

— Sûre, répondit la jeune fille gaiement.

— Alors, c'est elle que tu es venue voir ? demanda Kazu.

— Oui, dit-elle avec le même aplomb.

Kei parut émerveillée d'apprendre que cette jeune inconnue était venue du futur spécialement pour elle. Elle n'était pas d'une nature à soupçonner les gens, elle ne chercha donc pas à savoir qui elle était ni pourquoi elle voulait prendre une photo avec elle. Elle demanda simplement à se refaire une beauté et sortit son poudrier de son sac, mais la jeune fille l'interrompit :

— C'est que… on n'a pas trop le temps.

— Oh, bien sûr…

Kei connaissait les règles, elle aussi. Elle referma le poudrier en rougissant.

Comme la jeune fille ne pouvait pas quitter sa place, Kei confia son sac plastique et son chapeau de paille à Kazu pour aller se mettre à côté d'elle.

— Où est ton appareil photo ? demanda Kazu.

La jeune fille lui tendit l'appareil qui était posé sur la table.

— Quoi ? On peut prendre des photos avec ça ? s'écria Kei.

L'appareil, pas plus grand qu'une carte de visite, avait l'apparence d'une fine carte en plastique transparente.

— Waouh, c'est tout plat !

Kei regardait sous tous les angles l'appareil que Kazu tenait dans les mains.

— Euh, on n'a pas beaucoup de temps…, répéta la jeune fille, alors que Kei s'agitait comme une enfant.

— Oups, pardon…, répondit-elle en se plaçant à côté d'elle.

— Vous êtes prêtes ?

— Oui !

Kazu pointa l'appareil photo vers elles. Apparemment, il n'était pas compliqué à manipuler. Elle appuya sur le bouton qui s'était affiché sur l'écran.

Tchac !

— Tu nous préviens avant d'appuyer, hein !

Alors que Kei était encore en train d'arranger sa frange, Kazu prit la photo et rendit aussitôt l'appareil.

— Quoi ? Tu as déjà pris la photo ?

Tandis que Kazu et la jeune fille se dépêchaient, Kei demeurait perplexe.

— Merci pour tout.

Sur ces mots, la jeune fille vida sa tasse de café.

— Ah, attends…

Kei avait à peine prononcé ces mots que la jeune fille s'était déjà transformée en vapeur. Alors que les volutes montaient vers le plafond, la femme en blanc fit son apparition sur la chaise, pareille à un ninja surgissant d'une trappe secrète.

Les trois personnes présentes dans le café étant habituées à ce spectacle, elles ne manifestèrent aucun étonnement. Mais si un client au courant de rien s'était trouvé là par hasard, il serait sûrement tombé de sa chaise. Pour cette raison, Nagare et les autres s'étaient mis d'accord pour dire qu'il s'agissait d'un tour de passe-passe, même s'ils auraient été bien en peine d'expliquer comment fonctionnait ce tour.

La femme en blanc, qui s'était replongée dans son roman comme si de rien n'était, remarqua soudain le plateau devant elle et le repoussa, l'air de dire : « Débarrassez-moi ça ! »

Kei prit le plateau et le passa à Nagare, qui le rapporta dans la cuisine en inclinant la tête sur le côté. Kei murmura :

— N'empêche, je me demande qui était cette jeune fille…

Elle récupéra le sac plastique et le chapeau de paille qu'elle avait confiés à Kazu, puis elle disparut dans l'arrière-salle.

Kazu, songeuse, fixait toujours la place où était assise la femme en blanc.

C'était la première fois qu'une personne venait du futur pour voir l'un d'entre eux. Puisque Nagare, Kei et Kazu travaillaient dans le café, il n'était pas nécessaire de retourner dans le passé pour les trouver. Et pourtant, cette jeune fille était venue voir Kei.

Lorsqu'une personne arrivait du futur, Kazu ne cherchait jamais à connaître ses raisons. Même si un tueur à gages avait débarqué, elle ne lui aurait pas posé de questions.

Car quels que soient les efforts qu'on faisait en retournant dans le passé, il n'était pas possible de changer le présent, et toutes sortes d'événements se déclenchaient pour que cette règle soit respectée.

Par exemple, imaginons qu'un homme armé d'un pistolet ait débarqué du futur et tiré sur un client. Si celui-ci était vivant dans le futur, alors, même s'il était touché en plein cœur, il ne mourrait pas. C'était la règle. Ainsi, Kazu ou quelqu'un d'autre appellerait les secours et la police. Les ambulanciers se mettraient aussitôt en route. Ils ne se retrouveraient pas coincés dans les embouteillages. Du centre ambulancier au café, puis du café au service des urgences, ils effectueraient leur trajet en un temps record.

Une fois aux urgences, l'équipe médicale estimerait peut-être que la victime n'avait aucune chance de s'en sortir. Mais ce jour-là, un chirurgien mondialement connu serait en visite par hasard dans cet hôpital et il demanderait à opérer lui-même la victime. Même si son groupe sanguin était extrêmement rare et que seule une personne sur plusieurs dizaines de milliers était compatible, l'hôpital aurait justement ce groupe sanguin en réserve. Le chirurgien serait assisté d'une équipe talentueuse et l'opération serait un succès. Il déclarerait ensuite que si la victime était arrivée une minute plus tard ou que la balle s'était enfoncée d'un millimètre de plus, elle n'aurait pas survécu.

Tout le monde aurait crié au miracle, mais ça n'en aurait pas été un. C'était une règle. Si un homme était vivant dans le présent, il ne pouvait pas mourir dans le passé. C'est pourquoi Kazu se fichait de voir quiconque arriver du futur, quel que soit son motif. Elle ne s'en souciait pas. Car tout acte entrepris par un voyageur venu du futur était vain.

*

— Tiens, tu peux t'occuper de ça ?

Depuis la cuisine, Nagare tendait à Kazu un plateau pour la femme à la robe blanche.

La serveuse prit le plateau. Mais pourquoi diable cette jeune fille avait-elle pris la peine de retourner dans le passé pour prendre une photo avec Kei ?

Ding-dong.

— Bienvenue.

La voix de Nagare sortit Kazu de ses réflexions. Elle avait l'impression que quelque chose d'important lui échappait, mais elle secoua la tête pour se débarrasser de cette sensation.

— Bonjour, dit Mme Kôtake en entrant.

Elle arrivait du travail et portait un polo vert anis, une jupe blanche, des chaussures plates noires et un sac en toile à l'épaule.

— Tiens, madame Kôtake…

À l'instant où Nagare prononçait ce nom, Mme Kôtake tourna les talons.

— Pardon, madame Fusagi ! s'empressa-t-il de corriger.

Elle fit un grand sourire et s'installa au comptoir.

Depuis qu'elle était retournée dans le passé il y avait trois jours, elle interdisait à tout le monde de l'appeler par son nom de jeune fille. À présent, elle aimait se faire appeler « Mme Fusagi ».

Mme Kôtake posa son sac en toile sur la chaise d'à côté et commanda un café à Nagare.

Elle regarda autour d'elle et, constatant que l'endroit était désert, elle poussa un soupir de déception. Si M. Fusagi avait été là, elle lui aurait proposé de rentrer avec elle.

Kazu l'avait observée avec attendrissement tout en servant la femme à la robe blanche.

— Je vais en pause, dit-elle.

— À plus tard, répondit Mme Kôtake en agitant la main, tandis que la serveuse se retirait dans l'arrière-salle.

On était au début du mois d'août et l'été battait son plein, mais, même en cette saison, Mme Kôtake commandait toujours du café chaud. Elle appréciait le parfum du café qui venait d'infuser. Il procurait un plaisir qu'on ne pouvait pas savourer avec un café glacé.

En général, Nagare utilisait une cafetière à siphon. La méthode consistait à verser de l'eau chaude dans le ballon inférieur, qu'on faisait ensuite bouillir avec un réchaud à alcool pour faire monter l'eau en ébullition à travers l'entonnoir qui contenait du café moulu. Mais pour les habitués comme Mme Kôtake qui souhaitaient apprécier au maximum l'arôme du café, il utilisait une machine à filtre. Pour cela, il posait un filtre papier sur le filtre, plaçait le café moulu à l'intérieur, puis il versait de l'eau chaude dessus. D'après lui, cette méthode permettait, selon la manière de verser l'eau et sa température, d'ajuster l'amertume et l'âpreté. Dans la salle calme dépourvue de musique de fond, seul était perceptible le faible son du café qui coulait. Mme Kôtake tendait l'oreille, l'air comblée. Ces moments-là aussi faisaient partie du plaisir de savourer son café.

Kei, elle, utilisait une cafetière. De la mouture du café à sa densité, il suffisait d'appuyer sur un bouton pour obtenir ce qu'elle voulait et, comme le mode de préparation lui importait peu, elle ne jurait que par cette machine. Par conséquent, certains habitués, dont Mme Kôtake, ne commandaient du café que lorsque Nagare était là. Que ce soit lui ou Kei qui le prépare, le prix était le même. Ce qui, en un sens, était normal.

Kazu, elle, utilisait souvent la cafetière à siphon. Il n'y avait pas de raison particulière à cela. Elle aimait simplement contempler l'eau bouillante s'élever du ballon vers l'entonnoir. De plus, elle considérait que la méthode à filtre était plus fastidieuse.

Nagare réapparut de la cuisine avec son fameux café.

Mme Kôtake ferma les yeux et inspira profondément pour savourer cet instant de bonheur.

La particularité du moka – le café que servait toujours Nagare –, c'était son parfum agréable. Les personnes sensibles au parfum du café, comme Mme Kôtake, l'adoraient, mais c'était aussi un café à l'acidité marquée. On l'aimait ou on le détestait, c'était en quelque sorte un café qui choisissait ses clients.

Comme avec son beurre maison, Nagare était heureux de voir des clients apprécier son café. Il plissait ses yeux effilés.

— Au fait, fit Mme Kôtake en humant son café, le bar de Mlle Hiraï est fermé depuis hier… Tu es au courant de quelque chose ?

*

Mlle Hiraï, la femme aux bigoudis, gérait un snack-bar à moins d'une dizaine de mètres du café. C'était un petit bar doté seulement d'un comptoir de six places, et il était toujours plein. L'heure d'ouverture variait selon l'humeur de la gérante, mais les clients y étaient accueillis sept jours sur sept. Depuis que le bar avait ouvert ses portes, Mlle Hiraï n'avait pas pris un seul jour de repos. Vers la fin de la journée, quand l'heure d'ouverture approchait, des habitués faisaient la queue devant l'établissement. Parfois on voyait plus de dix clients à l'intérieur.

Bien sûr, à part les six qui avaient pu s'asseoir, les autres buvaient debout.

La clientèle n'était pas uniquement composée d'hommes. Mlle Hiraï avait du succès auprès des femmes aussi. Avec son franc-parler, elle touchait parfois là où ça faisait mal, mais comme elle ne versait jamais dans le sarcasme, on se sentait comme libéré d'un poids après avoir discuté avec elle. Elle avait toujours été ainsi. Quoi qu'elle dise, on lui pardonnait. Son physique comme son look étaient excentriques au possible, mais elle se fichait du regard des autres. Elle respectait toutefois les bonnes manières et acceptait de tendre l'oreille à n'importe quelle opinion, mais si elle estimait que son interlocuteur avait tort, elle ne hochait pas la tête une seule fois, même quand elle avait affaire à une personnalité haut placée. Elle avait quelques clients généreux, mais elle ne prenait que l'argent des consommations. Quand on essayait de lui offrir des objets de valeur dans l'espoir d'obtenir ses faveurs, jamais elle n'acceptait. Certains lui proposaient une maison ou un appartement, une Mercedes ou une Ferrari ou encore des bijoux, mais Mlle Hiraï répondait toujours : « Ça ne m'intéresse pas. »

Mme Kôtake venait prendre un verre chez elle de temps en temps elle aussi. C'était son bar favori, où elle avait la garantie de passer un bon moment.

Donc ce bar à côté, où les habitués se pressaient tous les soirs, était fermé depuis deux jours sans que personne sache pourquoi. Il était normal que Mme Kôtake s'inquiète.

Dès qu'il entendit le nom de Mlle Hiraï, le visage de Nagare s'assombrit.

— Sa petite sœur a eu un accident de la route…

— Quoi ? fit Mme Kôtake, stupéfaite.

— Mlle Hiraï a donc dû rentrer auprès de sa famille…

— Je vois…

Mme Kôtake baissa les yeux sur son café d'un noir profond.

Elle connaissait aussi Kumi, la petite sœur de Mlle Hiraï, et savait qu'elle venait régulièrement à Tôkyô pour essayer de convaincre sa sœur aînée, qui avait fui le foyer, de rentrer auprès de sa famille.

Cela faisait trois jours à peine que Kumi était passée au café, et l'accident s'était produit sur le chemin du retour. Alors qu'elle roulait dans sa petite voiture, un camion venu d'en face lui était rentré dedans. Le chauffeur s'était probablement endormi. Kumi était décédée dans l'ambulance avant d'arriver à l'hôpital.

— C'est terrible…

Mme Kôtake n'avait pas touché à son café, et les fines volutes de vapeur qui s'en élevaient tout à l'heure avaient maintenant disparu. Nagare, les bras croisés et la tête baissée, demeurait silencieux.

C'était lui qui avait reçu le message de Mlle Hiraï sur son téléphone, car Kei ne possédait pas de portable. Le message contenait les détails à propos de l'accident et annonçait la fermeture temporaire du snack-bar. Il était neutre et concis, comme si Mlle Hiraï n'était pas concernée. Kei, inquiète, lui avait écrit avec le portable de son mari, mais elle n'avait pas reçu de réponse.

La famille de Mlle Hiraï tenait une auberge du nom de Takakura, «la Réserve aux trésors», fondée il y avait cent quatre-vingts ans. Elle était située dans le district d'Aoba à Sendaï, dans le département de Miyagi.

Sendaï était une ville connue pour le somptueux festival Tanabata. Chaque année, on accrochait, sur des bambous de plus de dix mètres, d'imposantes sphères décoratives en papier desquelles pendaient des banderoles colorées. On choisissait également parmi sept ornements de papier – bandelette, kimono, grue, etc. –, selon le type de souhait que l'on voulait y inscrire : réussite aux examens, santé et longévité ou encore prospérité en affaires, puis on accrochait l'élément sélectionné à une branche de bambou pour que le vœu soit exaucé.

Le festival Tanabata de Sendaï se déroulait toujours du 6 au 8 août, quel que soit le jour de la semaine. L'installation des bambous dans le quartier commerçant de la gare de Sendaï allait donc commencer bientôt. Ce grand événement estival attirait chaque année deux millions de visiteurs et, pour l'auberge Takakura qui se trouvait à dix minutes en taxi de la gare, c'était évidemment une période de forte affluence.

Ding-dong.

— Bienvenue ! fit Nagare sur un ton enjoué, espérant égayer ne serait-ce qu'un peu l'atmosphère qui régnait dans la salle.

Mme Kôtake se détendit légèrement sur son siège et but une gorgée du café qui ne fumait plus depuis un moment déjà.

— Bienvenue !

Kei, qui avait entendu la cloche elle aussi, arriva en tablier de l'arrière-salle.

Mais personne n'entrait.

Alors que Nagare se demandait ce qui se passait, une voix familière retentit :

— Patron ! Kei ! Quelqu'un peut me passer du sel ?!

— Mademoiselle Hiraï ?

Les funérailles avaient beau être terminées, personne ne s'attendait à la voir de retour si vite.

Nagare, qui venait de parler d'elle avec émotion, semblait déstabilisé de l'entendre s'exprimer avec sa pétulance habituelle. Il restait planté là, abasourdi.

Mlle Hiraï voulait sûrement s'asperger de sel pour se purifier avant d'entrer, comme c'était l'usage après des funérailles, mais à sa voix, on aurait plutôt dit une maman en train de préparer gaiement le dîner dans la cuisine.

— Alleeez, viiite ! fit-elle cette fois-ci d'une voix sensuelle.

— Oui, oui, j'arrive…

Nagare se bougea enfin et alla prendre dans la cuisine un flacon de sel, qu'il s'empressa de porter à Mlle Hiraï, toujours cachée dans le vestibule.

Mme Kôtake l'imagina habillée de manière excentrique, comme d'habitude. Elle ne put s'empêcher de se demander si l'histoire du décès de sa petite sœur n'était pas une invention. Kei devait se poser la même question, et leurs regards se croisèrent.

Mlle Hiraï entra de sa démarche traînante en s'exclamant : « Ah, je suis exténuée ! » Au lieu d'une tenue exubérante rouge ou rose flashy, elle portait des vêtements de deuil. Elle n'avait pas de bigoudis sur la tête et ses cheveux étaient coiffés comme il faut, ce qui la rendait presque méconnaissable. Elle s'installa à la table du milieu et demanda un verre d'eau à Kei.

— Oh, bien sûr !

Celle-ci s'empressa d'aller chercher de l'eau dans la cuisine.

— Pfiou…

Mlle Hiraï était assise, jambes et bras écartés, un sac à main noir suspendu à son poignet.

Dès que Kei revint, Mlle Hiraï posa le sac sur la table, saisit le verre d'eau et le but d'une traite, sous le regard médusé de son amie.

— Pwaaah, ça fait du bien !

Elle tendit le verre et en demanda un autre.

Tandis que Kei s'exécutait, Mlle Hiraï s'essuya négligemment le front du dos de la main et poussa un grand soupir.

Nagare se décida à lui parler :

— Mademoiselle Hiraï…

— Quoi ?

— Euh…

— Hmm ?

— Je, euh… comment dire…

— Ben quoi ?

— Je suis navré…

Elle paraissait si détachée que Nagare ne savait pas comment lui présenter ses condoléances.

Mme Kôtake, qui gardait la tête baissée, semblait chercher ses mots elle aussi.

— Tu veux dire, pour ma petite sœur ?

— Euh, oui…

— C'est clair que c'était soudain…

Kei revint avec le deuxième verre d'eau et garda la tête baissée, troublée elle aussi par le comportement de Mlle Hiraï.

Celle-ci la remercia avant de vider le verre aussi vite que le premier.

— Ma sœur a été touchée au mauvais endroit… Elle n'a pas eu de chance, quoi.

Elle avait dit ça sur un ton léger, comme si elle n'était pas concernée, et Mme Kôtake fronça les sourcils.

— C'était aujourd'hui ?

— De quoi ?

— Les funérailles, quelle question !

Choquée, Mme Kôtake avait élevé la voix malgré elle.

— Ben oui, regarde…

Mlle Hiraï se leva et tourna sur elle-même pour montrer sa tenue de deuil sous toutes les coutures.

— Ça me va plutôt bien, non ? J'ai l'air plus posée que d'habitude.

Elle faisait la fière en jouant les mannequins. Si elle venait vraiment de perdre sa petite sœur, sa conduite était totalement déplacée.

Mme Kôtake ne put cacher sa désapprobation.

— Mais enfin, tu n'étais pas obligée de rentrer si tôt…

Elle faillit ajouter : « Comment veux-tu que ta sœur trouve le repos, avec cette attitude ? », mais elle se retint de justesse.

Mlle Hiraï se laissa retomber négligemment sur sa chaise.

— Ben si, il fallait que je rentre, surtout que je dois m'occuper du bar…

Elle savait tout à fait ce que voulait dire Mme Kôtake, mais elle préférait se défiler.

— Mais…

— C'est bon, tout va bien.

Mlle Hiraï attrapa son sac et prit une cigarette.

— Ça va aller ? demanda Nagare, qui tripotait le flacon de sel entre ses mains.

— De quoi tu parles ?

Mlle Hiraï fouillait dans son sac, la cigarette aux lèvres. Elle grimaçait car elle ne trouvait pas son briquet. Nagare sortit le sien de sa poche et le lui tendit.

— Je parlais de tes parents. Ils doivent être bouleversés par le décès de ta sœur, tu devrais rester un peu avec eux…

Mlle Hiraï prit le briquet et alluma sa cigarette.

— Bah, dans une famille ordinaire, c'est peut-être ce qui se fait, mais…

Elle cracha sa fumée et fit tomber la cendre dans le cendrier. Elle suivit des yeux la fumée qui s'élevait lentement avant de disparaître.

— Mais moi, je n'ai plus ma place…, dit-elle sans émotion apparente. Je n'ai plus ma place là-bas, ajouta-t-elle avant de cracher de nouveau sa fumée.

— Tu n'as plus ta place ? répéta Kei en la regardant avec des yeux inquiets.

— Elle a eu son accident après être venue me voir, sur le chemin du retour. Alors pour mes parents, c'est ma faute, tu vois, continua-t-elle du même ton désinvolte.

— Mais enfin…

Mlle Hiraï interrompit Kei :

— Mes parents ont raison. Je l'ai fait venir jusqu'ici, encore et encore, pour l'envoyer balader chaque fois…

Kei repensa au moment où elle avait aidé Mlle Hiraï à se cacher derrière le comptoir, il y avait trois jours, et elle baissa la tête.

Mlle Hiraï poursuivit :

— Quand je suis rentrée, mes parents ne m'ont même pas adressé la parole.

Elle cessa de sourire.

— Même pas un mot…

*

Mlle Hiraï avait appris le décès de Kumi par la cheffe du personnel de l'auberge, en service là-bas depuis de longues années. Normalement, Mlle Hiraï ne répondait jamais aux appels téléphoniques de sa famille ou des employés de l'auberge. Mais quand, deux jours plus tôt, elle avait vu ce numéro s'afficher sur son téléphone, un mauvais pressentiment l'avait poussée à décrocher.

La cheffe du personnel lui avait annoncé la nouvelle avec des larmes dans la voix, mais Mlle Hiraï s'était contentée d'un « Ah bon », avant de raccrocher. Puis elle avait pris son portefeuille et roulé en taxi jusqu'à la maison familiale.

Le chauffeur du taxi était soi-disant un ancien humoriste. Alors que Mlle Hiraï ne lui avait rien demandé, il s'était mis à lui jouer toute une série de sketches. Il était assez doué, et à chaque blague Mlle Hiraï se tordait de rire sur la banquette. Elle en avait les larmes aux yeux, plusieurs fois elle avait même failli s'étouffer.

Le trajet dura cinq heures et le compteur affichait plus de 150 000 yens quand le taxi arriva devant l'auberge. Alors que Mlle Hiraï était en train de sortir des espèces, le chauffeur lui proposa d'arrondir la note au chiffre inférieur et il repartit gaiement.

Une fois sortie du taxi, elle réalisa qu'elle était en pantoufles et qu'elle avait gardé ses bigoudis. Elle était vêtue d'un débardeur, et le soleil d'avant midi dardait impitoyablement ses rayons sur sa peau. La sueur perlait à grosses gouttes, mais elle n'avait même pas de mouchoir pour s'éponger. Elle se mit à marcher le long de l'allée de gravier reliant l'auberge à la maison familiale, qui se trouvait juste derrière.

C'était une maison traditionnelle dans le plus pur style japonais. Une fois le portail du jardin franchi, on voyait, droit devant, l'entrée de la maison. Cela faisait treize ans que Mlle Hiraï n'était pas venue, mais rien n'avait changé. C'était comme si le temps s'était arrêté.

La porte coulissante n'était pas verrouillée. Elle la fit glisser et entra dans le vestibule. Il faisait si frais à l'intérieur qu'elle frissonna. Elle traversa le couloir plongé dans l'obscurité malgré la clarté du dehors. Il était courant qu'il fasse sombre dans les maisons traditionnelles, mais elle eut l'impression que ces ténèbres s'étendaient à l'infini.

Dans le couloir silencieux, seul le plancher craquait sous ses pas. La pièce de l'autel bouddhique était située derrière le séjour, au fond de la maison. En y jetant un coup d'œil, elle vit le petit dos rond de Yasuo, son père, qui regardait le jardin intérieur verdoyant depuis la véranda.

Kumi était là, allongée. On l'avait vêtue d'un yukata blanc sous un kimono de cérémonie rose en teinture *ikkon-zome*, la tenue portée par les patronnes de Takakura de génération en génération. L'instant d'avant, Yasuo devait être à côté d'elle, car il tenait dans sa main le tissu blanc destiné à recouvrir le visage de la défunte. Michiko, sa mère, n'était pas là.

Mlle Hiraï s'assit près de Kumi et regarda son visage. Il paraissait si apaisé qu'on se serait attendu à la voir respirer d'un instant à l'autre. Mlle Hiraï caressa doucement sa joue.

Lorsqu'un décès était causé par un accident de la route et que le visage était trop abîmé, il était parfois nécessaire de le recouvrir d'un bandage, comme une momie, avant la présentation du corps. Ayant entendu que la collision avec le camion avait été frontale,

Mlle Hiraï avait craint le pire, mais elle fut soulagée du fond du cœur en voyant le visage lisse de Kumi.

Yasuo était toujours tourné vers le jardin intérieur.

— Papa…

La voix de Mlle Hiraï était rauque. Elle n'avait pas parlé avec son père depuis qu'elle avait fui la maison, treize ans plus tôt. Mais celui-ci garda le dos tourné et ne répondit rien. Elle entendit seulement un reniflement discret.

Mlle Hiraï contempla le visage de Kumi pendant un moment, puis elle se leva lentement et sortit de la pièce sans faire de bruit.

Dans la ville, on s'affairait aux préparatifs du festival Tanabata. Mlle Hiraï, qui avait toujours ses bigoudis sur la tête, erra en débardeur et en pantoufles jusqu'à la tombée de la nuit. Elle acheta des vêtements de deuil dans le quartier commerçant et prit une chambre d'hôtel.

Le jour des funérailles, elle vit sa mère Michiko se tenir courageusement aux côtés de son père qui s'était effondré en pleurs. Mlle Hiraï évita de s'installer aux places réservées à la famille et se mêla aux visiteurs venus présenter leurs condoléances. Elle croisa une fois le regard de sa mère, mais elles n'échangèrent aucune parole.

Les funérailles se déroulèrent sans incident; Mlle Hiraï fit seulement brûler de l'encens, et elle quitta les lieux sans saluer personne.

*

Un cylindre de cendre se détacha de la cigarette de Mlle Hiraï.

— Voilà, fin de l'histoire, dit-elle en écrasant son mégot.

Nagare demeurait tête baissée, tandis que Mme Kôtake tenait toujours sa tasse de café dans ses mains, immobile. Kei regardait Mlle Hiraï d'un air inquiet.

En voyant ces trois visages, Mlle Hiraï poussa un soupir.

— Les ambiances lugubres comme ça, c'est pas mon truc.

— Mais tu…

Mlle Hiraï interrompit Kei d'un geste de la main.

— Alors, arrêtez de me demander si tout va bien avec vos têtes d'enterrement, OK ?

Kei ne semblant pas convaincue, Mlle Hiraï ajouta, comme si elle raisonnait une enfant :

— On ne dirait pas comme ça, mais je suis triste, hein… Mais bon, on n'est pas forcément obligé de faire étalage de ses sentiments devant tout le monde, tu comprends ?

Elle manifestait un détachement hors du commun. À sa place, Kei aurait pleuré trois jours et trois nuits sans s'arrêter. Mme Kôtake, elle, se serait privée de tout plaisir le temps de faire son deuil. Mais Mlle Hiraï n'était ni l'une ni l'autre.

— J'ai ma façon à moi d'exprimer ma tristesse, c'est tout…

Sur ces mots, elle se leva et saisit son sac.

— Bon, ben salut, hein.

— Dans ce cas, pourquoi tu es venue ici ? marmonna Nagare au moment où elle passait à côté de lui.

— Pourquoi, au lieu de rentrer directement chez toi, tu es passée par ici ?

Après un silence, Mlle Hiraï répondit dans un soupir :

— On ne peut rien te cacher…

Elle pivota sur ses talons et se réinstalla sur son siège.

Nagare continuait d'observer le flacon de sel dans ses mains.

Kei s'approcha de Mlle Hiraï avec une enveloppe, qu'elle lui tendit timidement. Mlle Hiraï avait déjà vu cette enveloppe. Elle contenait la lettre que, trois jours auparavant, Kumi lui avait écrite dans ce café.

— Alors, tu ne l'avais pas jetée ?

Mlle Hiraï la prit d'une main tremblante. C'était la dernière lettre que sa petite sœur lui avait adressée.

— Je n'aurais jamais imaginé te la remettre dans ces circonstances, dit Kei en inclinant la tête, comme pour s'excuser.

Mlle Hiraï sortit de l'enveloppe non cachetée une lettre pliée en deux. Le contenu était tel qu'elle l'avait imaginé. Une succession de phrases ennuyeuses qu'elle s'était lassée d'entendre ; pourtant, une larme perla sur sa joue.

— Je n'ai même pas pu la voir une dernière fois avant que ça arrive…

Elle renifla et poursuivit :

— C'est la seule personne qui continuait à venir me chercher, sans jamais abandonner…

La première fois que Kumi était venue voir Mlle Hiraï à Tôkyô, elle avait dix-huit ans, et sa sœur vingt-quatre. À cette époque, Mlle Hiraï la considérait encore comme sa « petite sœur chérie » et elle lui donnait parfois des nouvelles à l'insu de leurs parents.

Kumi était une jeune fille droite et sincère. Alors qu'elle était encore lycéenne, elle aidait déjà ses parents à l'auberge chaque fois qu'elle était en vacances. Depuis que l'aînée avait fui la maison, tous les espoirs des parents s'étaient tournés vers la cadette, qui était devenue, avant même ses vingt ans, l'apprentie patronne et l'emblème de l'auberge traditionnelle Takakura.

Vers la même époque, Kumi s'était mis en tête de convaincre sa sœur de rentrer et de renouer avec sa famille. En tant qu'apprentie patronne, elle était débordée, mais dès qu'elle parvenait à prendre une journée de repos, environ une fois tous les deux mois, elle se rendait à Tôkyô. Au début, Mlle Hiraï acceptait de voir sa chère petite sœur et écoutait ce qu'elle avait à lui dire, mais au bout d'un moment elle en avait eu assez et, les deux dernières années, elle ne lui avait pas accordé une seule entrevue.

Et maintenant, Kumi n'était plus là. Mlle Hiraï remit la lettre dans l'enveloppe et se tourna vers Nagare.

— Je sais bien que quoi qu'on fasse en retournant dans le passé, le présent ne changera pas… Mais s'il te plaît, laisse-moi revenir à ce jour. Je t'en prie !

Elle inclina la tête très bas. Elle n'avait jamais montré un visage aussi déterminé.

Nagare la regarda en plissant les yeux.

Kei et Mme Kôtake attendaient sa réponse en retenant leur respiration. La salle était plongée dans un silence de mort. Seule la femme en blanc lisait son roman comme si de rien n'était.

Clac !

Le bruit du flacon de sel que Nagare avait posé sur le comptoir avait résonné dans toute la salle. Sans dire un mot, il disparut dans l'arrière-salle.

Mlle Hiraï releva la tête et inspira profondément. On entendait au loin la voix de Nagare qui appelait Kazu.

— Mais tu…

— Je sais.

Mlle Hiraï coupa la parole à Mme Kôtake, refusant d'entendre ce qu'elle avait à lui dire. Elle s'approcha de la femme à la robe blanche.

— Bon, du coup, tu me cèdes ta place ?

— Ma… mademoiselle Hiraï ! fit Kei, affolée.

— Allez, s'il te plaît !

Mlle Hiraï ignora Kei et joignit les mains, comme si elle priait les dieux et Bouddha. Son geste était un peu ridicule, mais elle était on ne peut plus sérieuse.

La femme en blanc ne bougea pas d'un cil. Vexée, Mlle Hiraï posa la main sur son épaule.

— Hé, ho, tu m'écoutes ? Tu peux te lever, là, au lieu de m'ignorer ?

— Non, arrête, ne fais pas ça !

— Donne-moi ta place, je t'en supplie !

Elle tira brusquement le bras de la femme en blanc.

— Mademoiselle Hiraï !

À l'instant où Kei cria, la femme en blanc ouvrit grand les yeux et lança un regard foudroyant à Mlle Hiraï. Celle-ci eut soudain la sensation que son corps pesait incroyablement lourd. C'était comme si la pesanteur terrestre avait augmenté d'un coup. Les lumières du café vacillèrent comme les flammes d'une bougie soufflée par le vent et un cri inquiétant s'élevant d'on ne sait où résonna dans toute la pièce. Paralysée, Mlle Hiraï tomba sur les genoux.

— Mais qu'est-ce qui m'arrive ?!

— Tu aurais dû m'écouter…, fit Kei en soupirant.

Mlle Hiraï, qui croyait bien connaître les règles, n'était pas du tout au courant du sort réservé à ceux qui avaient le malheur de déranger la femme en blanc. Car les clients qu'elle voyait entrer au *Funiculi funicula* pour retourner dans le passé en repartaient en général sans avoir essayé.

— Espèce de monstre ! Démon ! cria Mlle Hiraï, toujours écrasée contre le sol.

— C'est un fantôme…, précisa Kei.

Mlle Hiraï continuait d'insulter la femme en blanc, qui l'ignorait royalement.

Kazu sortit de la pièce du fond et comprit tout de suite ce qui était en train de se passer. Elle alla chercher la carafe en verre dans la cuisine et s'approcha de la femme en blanc.

— Je vous ressers ?

— Je veux bien, merci, répondit-elle, et la malédiction fut conjurée aussitôt.

En fait, Kazu était la seule à pouvoir briser cette malédiction. Avec Kei ou Nagare, ça ne marchait pas.

Bien que libérée, Mlle Hiraï respirait encore péniblement. Toujours par terre, elle implora Kazu :

— Kazuuu, aide-moi... Fais quelque chose, s'il te plaît !

— C'est bon, j'ai compris la situation.

— Tu vas pouvoir m'aider ?

Kazu regarda la carafe, réfléchit un instant, puis répondit :

— Je ne sais pas si ça va fonctionner, mais je vais essayer.

Elle avança d'un pas vers la femme à la robe blanche, sous le regard de Mlle Hiraï qui se relevait avec l'aide de Kei.

— Je vous ressers du café ? fit Kazu, alors que la tasse était encore remplie à ras bord.

Mlle Hiraï et Mme Kôtake se regardèrent, perplexes. Qu'est-ce que la serveuse avait derrière la tête ?

— Je veux bien, merci, répondit la femme en blanc, et elle vida sa tasse d'une traite.

Kazu remplit de nouveau la tasse, tandis que la femme en blanc se replongeait dans son roman. La serveuse lui demanda aussitôt :

— Je vous ressers du café ?

La femme en blanc n'avait même pas bu une gorgée, mais elle répondit de son air affecté :

— Je veux bien, merci, et elle vida sa tasse.

— Ce n'est pas possible…

Devant Mme Kôtake médusée, Kazu poursuivait tranquillement son plan insensé. Dès qu'elle remplissait la tasse, elle en proposait une autre. Et rebelote. Chaque fois, la femme en blanc acceptait et la vidait. Mais elle semblait de moins en moins à l'aise. Son rythme avait ralenti. Elle parvint tant bien que mal, en marquant de petites pauses, à finir sa septième tasse.

— La pauvre, elle devrait s'arrêter, murmura Mme Kôtake, qui commençait à avoir pitié d'elle.

— Il paraît qu'elle ne peut pas refuser les tasses qu'on lui propose, chuchota Kei à son oreille.

— Pourquoi donc ?

— Parce que c'est la règle.

— Ah bon ?

Comme il était étonnant que les règles contraignantes de ce café ne concernent pas seulement ceux qui voulaient retourner dans le passé ! Mme Kôtake ne chercha pas à en savoir davantage et continua d'observer la scène.

Kazu remplit la huitième tasse de café. Elle débordait presque. La souffrance se dessinait sur le visage de la femme en blanc, mais Kazu fut impitoyable :

— Je vous ressers du…

À la neuvième tasse, la femme en blanc se leva brusquement.

— Il faut que j'aille aux toilettes…, marmonna-t-elle en lançant un regard rempli de haine à la serveuse.

La méthode pouvait paraître un peu cruelle, mais au moins le champ était libre.

— Merci, dit Mlle Hiraï, et elle s'approcha de la chaise d'un pas chancelant.

Sa nervosité se communiquait à toute la pièce. Elle prit une grande, lente et profonde inspiration, avant de se glisser entre la table et la chaise. Puis elle s'assit et ferma lentement les yeux.

*

Quand elle était petite, Kumi se collait toujours à sa grande sœur et la suivait partout.

À l'auberge traditionnelle Takakura, on était toujours débordé, quelle que soit la saison. Le père, Yasuo, gérait l'auberge, tandis que la mère, Michiko, s'occupait de l'accueil des clients. Après la naissance de Kumi, Michiko avait aussitôt repris le travail, confiant à Mlle Hiraï, âgée de six ans, la garde du nourrisson. La fillette allait à l'école primaire en portant sa petite sœur sur son dos. Par chance, comme il s'agissait d'une école de campagne, les professeurs se montraient compréhensifs. Quand Kumi se mettait à pleurer en plein cours, Mlle Hiraï sortait de la salle pour aller la calmer.

Tout le monde voyait Mlle Hiraï comme une enfant responsable qui prenait soin de sa petite sœur.

Ses parents nourrissaient de grands espoirs pour elle, persuadés que cette enfant débrouillarde, peu farouche et appréciée de tous ferait plus tard une honorable patronne d'auberge. Mais ils n'avaient pas saisi la personnalité de leur fille dans toutes ses nuances, ils étaient passés à côté de son tempérament libre et indépendant. Si Mlle Hiraï avait pu aller à l'école en portant Kumi sur son dos, c'était parce qu'elle faisait ce qui lui plaisait sans se soucier du regard des autres. Et si elle avait pu se débrouiller sans compter sur l'aide de personne, c'était grâce à son caractère indépendant. Le fait qu'elle ne cause jamais de souci à ses parents n'était qu'une conséquence de ce tempérament. Mais parce qu'elle était indépendante, elle avait également refusé de suivre le parcours tout tracé auquel on la destinait. Elle n'avait rien contre ses parents, ni contre l'auberge. Elle voulait simplement vivre libre.

À dix-huit ans, Mlle Hiraï quitta la maison. Kumi avait douze ans.

Furieux, les parents renièrent leur fille aînée. Kumi était bien sûr choquée elle aussi, mais elle s'était toujours doutée qu'un jour, sa sœur s'en irait. Elle n'avait pas pleuré et n'était pas désemparée. Elle avait seulement chuchoté : « Tu es trop égoïste… » en lisant la lettre que sa sœur lui avait laissée.

Quand Mlle Hiraï sortit de sa rêverie, Kazu se tenait debout à côté d'elle avec son plateau d'argent, sur lequel étaient posées la tasse à café blanche et la bouilloire argentée. La serveuse arborait une expression froide et mystérieuse.

— Tu te souviens des règles ?

— C'est bon, je les connais…

Mais Kazu continua :

— Quand on va voir une personne défunte, nos émotions ont tendance à prendre le dessus et, même si on sait que le temps est limité, on a du mal à repartir… Je préfère donc te donner ça.

Elle posa à l'intérieur de la tasse une espèce de cuillère qui ressemblait à un petit mélangeur à cocktails. L'objet devait mesurer environ dix centimètres.

— C'est quoi ?

— Un minuteur qui sonne avant que le café ne refroidisse. Dès que l'appareil sonnera, tu devras…

— OK, j'ai compris.

Kazu semblait encore vouloir dire quelque chose, mais Mlle Hiraï l'en empêcha :

— J'ai compris, je te dis.

« Rentrer avant que le café ne refroidisse », c'était en effet une consigne assez vague et subjective. On pouvait très bien trouver le café froid alors qu'il restait encore du temps, ou au contraire se dire qu'il était encore chaud alors que le moment de rentrer était venu. Mais s'il suffisait de finir son café dès que le minuteur retentissait, c'était facile. Mlle Hiraï n'avait plus de souci à se faire.

Tout ce qu'elle voulait, c'était s'excuser auprès de sa sœur. S'excuser de s'être montrée froide à chacune de ses venues et de l'avoir obligée à prendre la succession de l'auberge à sa place. Contrairement à Mlle Hiraï, Kumi était une fille gentille, incapable de trahir les attentes de ses parents.

Peut-être rêvait-elle d'autre chose pour son avenir ? Si c'était le cas, la fuite irresponsable de Mlle Hiraï l'avait contrainte à abandonner ses ambitions. C'était peut-être pour cette raison que Kumi insistait tant pour que sa sœur rentre à la maison. Son retour lui aurait permis de poursuivre librement ses rêves.

Si Mlle Hiraï avait pu acquérir sa liberté au détriment de celle de Kumi, quoi de plus normal que celle-ci lui en veuille ? Il était désormais trop tard, mais Mlle Hiraï se sentait rongée par le remords.

C'était pour ça qu'elle tenait à s'excuser. Même si le présent demeurait inchangé, elle voulait au moins lui dire : « Je suis désolée, j'ai été égoïste, pardonne-moi. »

Mlle Hiraï regarda Kazu dans les yeux, puis elle hocha la tête avec détermination.

Kazu posa la tasse blanche sur la table et souleva lentement la bouilloire en argent, les yeux baissés sur Mlle Hiraï. C'était un rituel. Quelle que soit la personne assise sur ce siège, les gestes de Kazu étaient toujours les mêmes. L'expression de son visage aussi.

— N'oublie pas… Il faut revenir avant que le café ne refroidisse…

Kazu versa lentement le café. Un mince filet noir s'écoula sans un bruit du bec verseur fin et long de la bouilloire en argent.

Mlle Hiraï observait le niveau du liquide monter. Plus elle s'impatientait, plus elle avait l'impression que la tasse mettait du temps à se remplir. Elle voulait revoir sa sœur au plus vite. La revoir et s'excuser. Dès l'instant où on le versait, le café commençait déjà à refroidir, et même ce petit intervalle de temps, elle regrettait de ne pas pouvoir le passer avec elle.

De la vapeur s'éleva de la tasse. Ses ondulations donnèrent le vertige à Mlle Hiraï. Son corps, qui ne faisait plus qu'un avec la vapeur, entama sa lente ascension. C'était la première fois que Mlle Hiraï faisait une telle expérience, mais elle ne ressentait pas la moindre peur. Elle ferma néanmoins les yeux pour refréner son impatience.

*

La première fois que Mlle Hiraï avait foulé le sol de ce café, c'était sept ans auparavant. Elle était alors âgée de vingt-quatre ans et gérait son snack-bar depuis trois mois.

C'était un dimanche de la fin de l'automne. Alors qu'elle se promenait dans le quartier, elle y était entrée par hasard. La seule autre cliente était une femme vêtue d'une robe blanche. Il commençait à faire suffisamment froid pour sortir les écharpes, pourtant la femme ne portait qu'une robe à manches courtes. Mlle Hiraï s'était installée au comptoir en se demandant s'il ne faisait pas un peu frisquet pour une telle tenue.

Elle regarda autour d'elle, mais il n'y avait aucun serveur dans la salle. Une cloche avait tinté lorsqu'elle avait ouvert la porte, mais personne ne lui avait dit « Bonjour » ni « Bienvenue ». Ce café ne semblait pas au point au niveau de l'accueil des clients, mais ce n'était pas le genre de choses qui la dérangeait. Au contraire, cette absence d'hospitalité la séduisait. Elle décida d'attendre qu'un employé vienne s'occuper d'elle. Peut-être n'avait-on pas entendu la cloche ? À moins que ce ne soit le style d'accueil de la maison ? Mlle Hiraï était de plus en plus intriguée.

La femme en blanc semblait n'avoir même pas remarqué sa présence. Elle était plongée dans son roman. Mlle Hiraï avait l'impression d'être entrée par erreur dans un café fermé.

Environ cinq minutes plus tard, la cloche sonna et une jeune fille, sans doute une collégienne, pénétra dans la salle. Elle souhaita la bienvenue à Mlle Hiraï d'une petite voix et se dirigea tranquillement vers la pièce du fond.

Mlle Hiraï sentit la joie monter en elle. Dans ce café, on ne faisait pas de courbettes aux clients. Tout respirait la liberté. Le client ignorait à quel moment on viendrait s'occuper de lui. C'était un lieu qui ne se conformait pas à nos attentes, c'est ça qui était bien.

Elle alluma une cigarette et continua d'attendre patiemment.

Au bout d'un moment, une femme sortit de la pièce du fond. Mlle Hiraï venait d'allumer sa deuxième cigarette. La femme portait un cardigan beige en laine, une longue jupe blanche et un tablier couleur lie-de-vin. Elle avait de grands yeux ronds. La collégienne avait dû l'informer qu'une cliente était arrivée, mais cela ne l'avait visiblement pas empêchée de prendre son temps.

Ses yeux ronds ne trahissaient aucun affolement. Elle remplit un verre d'eau qu'elle posa devant Mlle Hiraï et lui souhaita la bienvenue, comme si de rien n'était. On aurait dit qu'elle s'adressait à une habituée. Après une telle attente, un client ordinaire aurait très bien pu faire exploser sa colère en exigeant des excuses. Mlle Hiraï, elle, apprécia ce naturel. La femme au tablier ne se sentait pas en tort, et elle lui souriait avec insouciance. C'était la première fois que Mlle Hiraï rencontrait une femme aussi libre et spontanée, et elle éprouva aussitôt pour elle une immense sympathie. Littéralement sous le charme, elle se mit à fréquenter tous les jours le *Funiculi funicula*.

L'hiver de la même année, Mlle Hiraï avait appris qu'on pouvait voyager dans le passé depuis ce café. Un jour, elle avait demandé à Kei : « Elle n'a pas froid, elle ? » en désignant la femme en blanc qui était toujours en manches courtes. Kei lui avait alors expliqué qui était cette femme et comment on pouvait retourner dans le passé en s'asseyant à sa place.

Sur le moment, Mlle Hiraï avait répondu : « Ah oui ? » sans vraiment y croire. Comme Kei n'avait pas l'habitude de raconter des craques, elle ne savait pas trop comment le prendre. Environ six mois plus tard, cette histoire était devenue une célèbre légende urbaine, et des hordes de clients s'étaient bousculés à la porte du café.

Cependant, Mlle Hiraï ne s'était jamais montrée intéressée. Elle n'était pas du genre à avoir des regrets, et si en plus on ne pouvait pas changer le présent, elle ne voyait aucun intérêt à la chose.

Jusqu'à ce que Kumi meure dans un accident de la route…

*

Alors que sa conscience vacillait, Mlle Hiraï entendit soudain qu'on l'appelait :

— Mademoiselle Hiraï ?

La voix familière lui fit reprendre ses esprits, et elle ouvrit les yeux. Kei se tenait là, avec son tablier lie-de-vin. Visiblement surprise, elle la regardait en clignant des paupières. À la table la plus proche de l'entrée, M. Fusagi lisait un magazine. Tout était exactement comme dans son souvenir de ce jour-là. Mlle Hiraï était revenue à ce dernier jour où Kumi était encore vivante.

Elle sentit son cœur s'accélérer. Il fallait qu'elle se calme. Les nerfs tendus à vif, elle essayait tant bien que mal de paraître sereine. Si ses nerfs lâchaient, elle ne pourrait plus retenir ses larmes. Ses yeux seraient rougis et gonflés, son visage déformé par les pleurs. Il n'était pas question que Kumi la voie dans un état pareil.

Mlle Hiraï porta la main à sa poitrine et respira lentement pour retrouver son calme, puis elle salua Kei, qui écarquillait les yeux derrière le comptoir.

Elle ne devait pas s'attendre à ce qu'une personne de sa connaissance fasse son apparition sur ce siège. D'un air émerveillé, elle dit à la visiteuse :

— Attends… Tu viens du futur ?

— Eh oui…

— C'est vrai ? Et qu'est-ce qui t'amène ici ?

La Kei du passé n'était au courant de rien, et elle posait ses questions en toute innocence.

— Je passe voir ma sœur.

Mlle Hiraï n'avait ni le temps ni la force d'inventer un mensonge. Elle serra un peu plus fort la lettre qu'elle tenait sur ses genoux.

— Oh, ta sœur qui vient toujours ici pour essayer de te convaincre de rentrer ?

— C'est ça.

— C'est drôle ! Alors que chaque fois, tu te caches quand elle arrive ?

— Oui… Aujourd'hui, j'ai envie de faire les choses bien…

Mlle Hiraï faisait des efforts pour parler sur un ton joyeux. Sa bouche souriait, mais ses yeux ne se plissaient pas. Elle ne pouvait pas battre des paupières. Elle ne savait même pas ce qu'elle regardait de ses yeux grands ouverts. Kei remarqua son trouble.

— Il s'est passé quelque chose ? chuchota-t-elle.

Mlle Hiraï demeura silencieuse un moment, puis elle parvint à dire d'une voix rauque : « Non, non. »

Sous l'effet de l'attraction terrestre, l'eau coule de haut en bas. Nos âmes exercent une force d'attraction, elles aussi. Face à quelqu'un qu'on estime et en qui on a confiance, on ne peut pas mentir. On ne peut pas s'empêcher de se montrer sous son vrai jour. En particulier dans les moments où on essaye de cacher sa tristesse ou ses faiblesses. Alors qu'il est moins difficile de cacher ces choses à des étrangers ou à des gens en qui on n'a pas confiance. L'âme de Kei exerçait une force d'attraction sur Mlle Hiraï, qui la considérait comme une personne à qui elle pouvait tout dire, tout montrer. Kei était capable de tout accepter et de tout pardonner. Du moins, c'était l'impression qu'elle donnait. Les nerfs de Mlle Hiraï ne tenaient qu'à un fil, qui risquait de se rompre à tout moment. Encore une parole douce de la part de Kei, et elle allait s'effondrer.

Elle devinait que Kei l'observait avec des yeux inquiets, c'était pour ça qu'elle s'efforçait de ne pas la regarder.

Ding-dong.

La cloche avait retenti au moment où Kei s'approchait de Mlle Hiraï.

— Bienvenue, dit-elle par réflexe.

De l'intérieur de la salle, on ne pouvait pas voir qui avait ouvert la porte, mais Mlle Hiraï savait qu'il s'agissait de Kumi. L'horloge murale du milieu indiquait trois heures. C'était la seule des trois à donner l'heure exacte. Et c'était à cette heure-là qu'il y avait trois jours, sa petite sœur était entrée dans le café.

Ce jour-là, Mlle Hiraï y était passée un peu après midi. Après avoir commandé un café, elle avait discuté de tout et de rien avec Kei.

Puis elle s'était dit qu'elle allait ouvrir son bar un peu plus tôt que d'habitude. En se levant, elle avait vérifié l'heure sur l'horloge du milieu, qui indiquait exactement trois heures. Il était encore un peu tôt, mais pour une fois elle avait envie de préparer tranquillement les amuse-bouches du jour. Elle avait donc réglé l'addition, puis entrouvert la porte.

Au même instant elle avait entendu, du haut de l'escalier, la voix de sa sœur Kumi qui parlait au téléphone. Le café en sous-sol n'avait qu'une seule entrée, il fallait donc forcément passer par cet escalier pour entrer ou pour sortir. Paniquée, Mlle Hiraï était retournée à l'intérieur pour se cacher derrière le comptoir. La cloche avait retenti aussitôt, puis Kumi était entrée. Il s'en était fallu de peu.

Voilà ce qui s'était passé trois jours plus tôt, lorsque Mlle Hiraï et Kumi n'avaient pas pu se voir.

*

À présent, Mlle Hiraï était assise sur le fameux siège de la femme en blanc et attendait Kumi.

Elle ne savait même pas comment sa petite sœur était habillée. Étant donné qu'elle avait passé son temps à l'éviter ces deux dernières années, elle n'avait pas vu son visage depuis un moment. Comme elle avait dû lui faire de la peine en la fuyant chaque fois ! Le cœur de Mlle Hiraï se remplit de regrets et de culpabilité. Mais il n'était pas question de pleurer maintenant. Elle n'avait jamais pleuré devant Kumi. Si elle fondait soudain en larmes sous ses yeux, Kumi lui demanderait aussitôt ce qui lui arrivait. Et là, même si Mlle Hiraï savait pertinemment que le présent ne pouvait être modifié, elle crierait : « Rentre en train, sinon tu vas avoir un accident ! » ou : « Ne rentre pas aujourd'hui ! » Mais il ne fallait surtout pas qu'elle fasse une chose pareille. Elle ne pouvait pas lui annoncer sa mort. Elle ne voulait pas la faire souffrir davantage. Mlle Hiraï inspira profondément pour refouler ses émotions.

— Grande sœur ?

Mlle Hiraï crut que son cœur allait s'arrêter. C'était la voix de Kumi, cette voix qu'elle était censée ne plus jamais entendre. Elle ouvrit lentement les yeux et vit sa petite sœur qui la regardait fixement depuis l'entrée du café.

— Coucou…, répondit Mlle Hiraï en agitant la main avec le plus large sourire possible.

La tension de son visage avait disparu, mais sa main gauche serrait fermement la lettre sur ses genoux.

Kumi continuait de dévisager Mlle Hiraï sans rien dire. Il était compréhensible qu'elle soit troublée : normalement, dès qu'elle se trouvait en face de sa grande sœur, celle-ci faisait la grimace et installait une ambiance hostile pour la faire partir au plus vite. Mais au lieu de détourner la tête comme elle le faisait toujours, Mlle Hiraï la regardait cette fois-ci d'un air bienveillant.

— Ça, c'est vraiment étrange ! Qu'est-ce qui t'arrive aujourd'hui ?

— Comment ça ?

— Eh bien… Ça fait des années que je n'ai pas réussi à te voir…

— Ah bon ?

— Comment ça, « Ah bon » ?

— Pardon, pardon, je suis désolée…, répondit Mlle Hiraï.

Kumi commençait visiblement à s'habituer à l'attitude de sa sœur et elle s'approcha doucement.

— Excusez-moi, je peux commander ? Je vais prendre une assiette de toasts avec un café, et puis… un curry et une coupe glacée, s'il vous plaît.

— C'est noté ! fit Kei derrière le comptoir.

Elle jeta un coup d'œil à Mlle Hiraï. Il lui sembla que celle-ci avait retrouvé son état normal et, rassurée, elle disparut dans la cuisine.

— Je peux ? demanda timidement Kumi en posant la main sur la chaise en face de sa sœur.

— Bien sûr, je t'en prie…

Mlle Hiraï souriait toujours. Les traits de Kumi se détendirent un peu et elle s'installa.

Mais une fois face à face, les deux femmes demeurèrent silencieuses. Kumi, les yeux baissés, semblait nerveuse et agitée, tandis que Mlle Hiraï la fixait sans rien dire. Remarquant son regard, Kumi murmura :

— Ça fait bizarre, tu ne trouves pas ?
— De quoi ?
— Qu'on soit assises l'une en face de l'autre, comme ça. Ce n'était pas arrivé depuis si longtemps…
— Ah oui ?
— La dernière fois que je suis venue, on a seulement échangé quelques mots à travers la porte… Et la fois d'avant, comme tu t'enfuyais, j'ai dû te parler en te courant après… Et encore avant, on était de chaque côté du trottoir… Et avant…
— J'ai été affreuse, c'est vrai.

Des exemples, il y en avait plein d'autres. Elle avait feint d'être absente alors qu'il y avait de la lumière chez elle. Elle avait fait semblant d'être ivre et de ne pas la reconnaître. Tous les petits mots que Kumi lui avait laissés, elle les avait jetés sans les lire. Même sa dernière lettre. Elle était vraiment une horrible grande sœur.

— Tu es comme ça, c'est tout…
— Pardon, pardon, je suis désolée…

Et Mlle Hiraï tira la langue, espérant sans doute que faire le pitre détendrait l'atmosphère.

Kumi, qui sentait tout de même que quelque chose clochait, demanda sur un ton inquiet :

— Dis-moi la vérité. Qu'est-ce qui t'arrive ?
— Comment ça ?
— Tu es bizarre.
— Ah ?
— Il t'est arrivé quelque chose ?
— Non, rien de spécial…

Mlle Hiraï essayait de paraître le plus naturelle possible. Lorsqu'une personne apprend qu'elle va bientôt mourir, il arrive qu'elle change soudain d'attitude et devienne brusquement gentille avec son entourage. Kumi, qui avait dû voir ce genre de choses à la télévision, imaginait le pire et fixait Mlle Hiraï, l'air anxieuse. Celle-ci sentit l'émotion lui monter aux yeux. *Ce n'est pas moi qui vais mourir…* Elle ne pouvait plus soutenir le regard de sa petite sœur.

— Et voici…

Grâce à l'arrivée de Kei, qui apportait le café de Kumi, Mlle Hiraï put se ressaisir.

— Merci, dit Kumi en inclinant poliment la tête.

— Mais de rien !

Kei posa la tasse de café, fit une petite révérence et retourna au comptoir.

Elles avaient perdu le fil de la conversation. Mlle Hiraï n'osait pas parler. Car depuis l'instant où Kumi était apparue, elle n'avait qu'une envie, la serrer dans ses bras et hurler : « Je t'en prie, ne meurs pas ! » Elle se retenait de toutes ses forces.

Kumi semblait toujours nerveuse. Elle chiffonnait un bout de papier entre ses mains posées sur ses genoux et jetait des coups d'œil aux horloges murales. À l'insu, croyait-elle, de Mlle Hiraï, mais cette dernière n'était pas dupe.

Kumi était en train de choisir ses mots. La tête baissée, elle se répétait intérieurement ce qu'elle voulait dire. Tout ce qu'elle souhaitait, c'était convaincre sa sœur de rentrer à la maison, mais elle n'osait pas se lancer. Car elle avait passé ces dernières années à essuyer des refus. Mlle Hiraï l'avait rejetée, encore et encore, se montrant chaque fois plus froide. Kumi n'avait pas abandonné pour autant, mais chaque « non » de sa sœur l'avait blessée et emplie de tristesse. En imaginant tout ce que Kumi avait enduré, Mlle Hiraï sentit son cœur se déchirer. Elle lui avait causé tant de peine pendant toutes ces années. Kumi hésitait, de crainte d'un nouveau rejet. Chaque fois, elle avait tremblé avant de prendre son courage à deux mains. Mais elle n'avait jamais abandonné.

Kumi leva la tête et fixa sa sœur d'un regard intense. Celle-ci ne détourna pas les yeux. Kumi prit une petite inspiration. Elle s'apprêtait à parler.

— Je veux bien rentrer, lui répondit Mlle Hiraï.

Ce n'était pas exactement une réponse, puisque Kumi n'avait encore posé aucune question. Mais Mlle Hiraï savait très bien ce que sa sœur comptait lui demander.

Kumi demeura interdite et sembla ne pas comprendre le sens des paroles de Mlle Hiraï, qui ajouta avec une grande douceur :

— Je veux bien rentrer chez nos parents...

Kumi semblait avoir du mal à y croire.

— Vraiment ?

— Mais je te préviens, je ne sais rien faire...

— Ce n'est pas grave ! Tu auras tout le temps d'apprendre ! Papa et maman seront ravis, eux aussi !

— Tu crois ?

— Bien sûr !

Kumi, qui avait hoché vigoureusement la tête, rougit et fondit en larmes.

— Qu'est-ce qui t'arrive ?

Cette fois, ce fut au tour de Mlle Hiraï d'être déconcertée. Non qu'elle ne comprenne pas le sens de ces larmes : le retour de Mlle Hiraï signifiait que Kumi devenait libre. Ses longues années d'efforts pour convaincre sa grande sœur avaient enfin porté leurs fruits. Mais y avait-il de quoi se mettre dans un tel état ?

C'est alors que Kumi lui expliqua, la tête baissée :

— C'était mon rêve depuis toujours…

Ses larmes tombaient en grosses gouttes sur la table.

Mlle Hiraï sentit son cœur se serrer. Kumi avait donc bien des aspirations, elle aussi. Des choses qu'elle voulait faire dans sa vie. Par égoïsme, Mlle Hiraï l'avait privée d'un rêve auquel elle tenait au point d'en pleurer. Elle lui demanda d'une voix faible :

— De quoi rêvais-tu ?

Kumi, les yeux rougis, prit une profonde inspiration avant de répondre :

— De m'occuper de l'auberge avec toi…

À ces mots, son visage déformé par les pleurs s'était illuminé. Mlle Hiraï n'avait jamais vu sa sœur afficher un sourire aussi heureux.

Elle repensa à ce qu'elle avait dit, trois jours plus tôt :

« Elle m'en veut. »

« Elle ne voulait pas prendre la relève de l'auberge… »

« Je n'arrête pas de lui dire que je n'ai aucune intention de rentrer, mais elle revient à la charge, encore et encore et encore… Quelle plaie, celle-là ! »

« Je n'avais pas envie de voir ça. »

« Sa tête ! »

« C'est écrit sur son visage : "À cause de toi, grande sœur, je dois gérer une auberge alors que je n'ai rien demandé. Si tu rentrais, je pourrais retrouver ma liberté." »

« J'en ai marre de ses reproches. »

« Tu peux jeter cette lettre. »

« Je devine le contenu : "C'est trop dur pour moi de gérer seule l'auberge, il est temps que tu rentres, tu apprendras le métier sur le tas, bla-bla-bla…" »

Mais Mlle Hiraï s'était trompée. Kumi ne lui en voulait pas. Elle ne voyait pas de problème à prendre la relève de l'auberge. Si elle essayait de convaincre Mlle Hiraï, ce n'était pas pour devenir libre mais parce que son rêve de toujours était de s'occuper de l'auberge avec elle.

Elle n'avait pas changé depuis l'enfance. Cette petite sœur qui était maintenant en train de pleurer de joie en apprenant que Mlle Hiraï voulait bien rentrer. Cette petite sœur qui l'aimait de tout son cœur et n'avait jamais abandonné l'idée de la convaincre. Qui continuait de croire qu'elle reviendrait un jour, même si leurs parents l'avaient reniée. Qui la suivait toujours partout depuis son plus jeune âge.

Cette petite sœur, Mlle Hiraï n'avait jamais ressenti autant d'amour pour elle que maintenant.

Mais cette petite sœur n'était plus.

Les regrets de Mlle Hiraï devenaient de plus en plus profonds. *Je ne veux pas la laisser mourir ! Je ne veux pas qu'elle meure !*

— Ku… Kumi…

Mlle Hiraï avait des larmes dans la voix. Elle voulait empêcher sa mort, même si elle savait que c'était vain. Mais Kumi ne l'avait pas entendue.

— Excuse-moi, je vais aux toilettes, il faut que je me remaquille…

Elle se leva et tourna le dos à Mlle Hiraï.

— Kumi !

Mlle Hiraï avait crié malgré elle.

— Oui… ?

— Non, rien.

Bien sûr qu'elle avait quelque chose à dire, même si cela ne changerait rien au présent. *Ne t'en va pas ! Ne meurs pas ! Je suis désolée ! Pardonne-moi ! Si tu n'étais pas venue me voir, tu ne serais pas morte !*

Il y avait tant de choses qu'elle voulait dire, tant d'excuses qu'elle voulait faire. S'excuser d'avoir fui la maison sans rien lui dire. S'excuser de l'avoir forcée à s'occuper de leurs parents et de l'auberge. Elle n'avait même pas réfléchi aux peines qu'avait dû lui causer une telle responsabilité. Elle n'avait même pas essayé d'imaginer ce qu'elle ressentait quand elle se rendait à Tôkyô malgré son emploi du temps chargé. *Tu as dû tant souffrir à cause de moi. Je suis désolée.* Mais Mlle Hiraï n'arrivait pas à verbaliser ses sentiments. Que fallait-il dire ? Et que voulait-elle dire ?

Le visage de Kumi était empreint de bienveillance. Elle avait compris que Mlle Hiraï essayait de lui dire quelque chose, et elle attendait patiemment la suite de ses paroles.

Comment peut-elle me regarder avec tant de douceur, moi qui ai été si dure avec elle pendant tout ce temps ? Elle n'a jamais cessé de m'attendre, avec toute sa patience. Pour qu'on tienne l'auberge ensemble. Elle n'a jamais abandonné. Et moi, j'ai…

Après un long silence et d'interminables hésitations, Mlle Hiraï exprima ses sentiments en un seul mot :

— Merci…

Ce mot pouvait-il contenir tout ce qu'elle souhaitait faire passer ? Mlle Hiraï ne savait pas si sa sœur comprendrait. Mais il englobait tout ce qu'elle ressentait.

Kumi resta interdite un moment, puis elle finit par lâcher d'un air amusé :

— Décidément, tu es un peu bizarre aujourd'hui.

— Tu as peut-être raison.

Mlle Hiraï avait rassemblé ses dernières forces pour lui répondre avec son plus grand sourire.

Avec une joie insouciante, Kumi se retourna pour aller aux toilettes.

Kumi !

Alors qu'elle la regardait s'éloigner, les larmes montèrent aux yeux de Mlle Hiraï. Elle ne pouvait plus les retenir désormais. Mais elle ne cligna pas une seule fois des paupières. Elle fixa le dos de Kumi, jusqu'à ce qu'il ne soit plus visible.

Lorsque Kumi disparut de son champ de vision, Mlle Hiraï laissa tomber sa tête en avant et couler librement ses larmes, tellement accablée de tristesse qu'elle aurait voulu hurler. Mais il ne fallait pas que Kumi l'entende. Mlle Hiraï se retenait désespérément de crier son nom en mettant la main sur sa bouche. Les épaules tremblantes, elle pleurait en étouffant ses sanglots.

Kei, qui revenait de la cuisine, l'interpella d'un ton inquiet :

— Mademoiselle Hiraï ? Qu'est-ce qui se passe ?

Bip bip bip bip…

Une sonnerie retentit à l'intérieur de la tasse. C'était le minuteur qui indiquait que le café serait bientôt froid.

— Cette sonnerie…

En l'entendant, Kei comprit. On n'utilisait cet appareil que pour aller rendre visite à une personne défunte. Et Mlle Hiraï lui avait dit qu'elle était venue voir sa petite sœur.

Ce qui veut dire que Kumi est…

— Non… Ce n'est pas possible…

Kei était bouleversée. Mlle Hiraï se contenta d'acquiescer tristement.

— Mademoiselle Hiraï…

— Je sais.

Elle saisit la tasse.

— Il faut que je boive, c'est ça ?

Kei ne dit rien. Elle n'en était pas capable.

Mlle Hiraï poussa un soupir qui ressemblait à un gémissement. Comme un son triste et plein de douleur que son cœur aurait laissé échapper.

— J'aimerais revoir son visage une dernière fois, mais si je fais ça, je ne trouverai plus la force de repartir…

Les mains tremblantes, elle approcha la tasse de ses lèvres. Il fallait qu'elle boive. Des larmes s'étaient remises à rouler sur ses joues. Toutes sortes de pensées l'assaillaient. Comment en était-on arrivé là ? Pourquoi sa sœur devait-elle mourir ? Pourquoi ne lui avait-elle pas dit plus tôt qu'elle allait rentrer ?

Sa tasse s'était immobilisée devant ses lèvres.

— Non, je ne peux pas boire…

Elle reposa le café. Ses forces l'abandonnaient. Elle ne comprenait ni ce qu'elle voulait faire ni pourquoi elle était venue ici. Tout ce qu'elle savait, c'était à quel point elle aimait sa sœur. À quel point elle lui était précieuse. Et que cette petite sœur était désormais morte.

Si elle buvait ce café maintenant, elle ne la verrait plus jamais, alors qu'elle venait de la voir sourire. Mais si elle attendait que Kumi revienne, elle serait incapable de finir ce café en regardant son visage.

— Mademoiselle Hiraï !

— Je ne peux pas boire !

Kei comprenait les sentiments de Mlle Hiraï. Une tristesse infinie se peignit sur son visage et elle se mordit les lèvres.

— Tu as fait une promesse…, commença-t-elle d'une voix tremblante, en articulant chaque mot. Tu as fait une promesse à ta sœur, non ? Tu lui as promis de rentrer à la maison familiale.

Derrière ses paupières closes, Mlle Hiraï vit apparaître le visage heureux de Kumi.

— Tu lui as promis de tenir l'auberge avec elle.

Mlle Hiraï voyait dans sa tête Kumi en vie. Elles travaillaient toutes les deux ensemble à l'auberge en s'amusant. Puis la sonnerie de son téléphone portable, qui avait retenti tôt ce matin-là, résonna dans sa tête.

— Mais elle…

Elle vit en flash-back la silhouette de Kumi allongée, comme assoupie, dans la pièce de l'autel bouddhique.

Mais elle n'est plus là.

Revenir dans le présent, pour quoi faire ? Mlle Hiraï ne voyait plus aucune raison de retourner là d'où elle venait.

Kei pleurait aussi. Mais il y avait dans sa voix une force que Mlle Hiraï ne lui avait jamais entendue :

— C'est justement pour ça que tu dois rentrer.

Comment ça ?

— Ta petite sœur serait triste, tu sais ? Si elle apprenait que tu lui as fait une promesse en l'air, elle ne s'en remettrait pas.

Kei a raison. Le rêve de Kumi était qu'on tienne l'auberge ensemble, et je lui ai promis que je reviendrais là-bas. Je ne l'avais jamais vue sourire d'un air aussi heureux. Je ne peux pas gâcher ce sourire. Il faut que je retourne dans le présent. Il faut que je rentre à la maison de nos parents. Même si Kumi n'est plus là, il faut que je tienne la promesse que je lui ai faite quand elle était en vie. Que j'honore son sourire...

Mlle Hiraï prit la tasse. Mais...

Je veux voir son visage une dernière fois.

C'était la seule chose qui la faisait encore hésiter. Mais si elle voyait le visage de Kumi, elle n'aurait plus la force de boire ce café et elle ne pourrait plus rentrer. Mlle Hiraï le savait.

Tout ce qu'elle avait à faire, c'était boire ce café jusqu'à la dernière goutte, mais elle n'arrivait pas à approcher la tasse de ses lèvres.

Clac !

Elle entendit la porte des toilettes s'ouvrir.

Alors Mlle Hiraï vida sa tasse d'une traite. Ce n'était plus le moment de tergiverser. Son corps lui disait que c'était sa dernière chance.

L'instant d'après, elle éprouvait cette sensation pareille à un vertige. Elle était enveloppée de vapeur. Elle ne pourrait plus voir Kumi désormais, mais c'était comme ça. Au moment même où Mlle Hiraï se résignait à cette idée, Kumi réapparut dans la salle.

Kumi !

La conscience de Mlle Hiraï s'était transformée en volutes de vapeur, mais elle était toujours présente dans la salle.

— Tiens ? Où est passée ma sœur ?

Mlle Hiraï n'était plus visible aux yeux de Kumi, et celle-ci la cherchait du regard.

Kumi !

La voix de Mlle Hiraï ne l'atteignait plus.

Kumi, perdue, s'adressa à Kei qui lui tournait le dos, derrière le comptoir :

— Excusez-moi… Vous sauriez où est passée ma sœur ?

Kei se retourna et lui dit avec douceur :

— Elle m'a dit qu'elle avait une urgence.

Le visage de Kumi s'assombrit. À peine venait-elle de revoir sa sœur que celle-ci s'était volatilisée. Certes, Mlle Hiraï lui avait promis de rentrer à la maison, mais leurs retrouvailles avaient été trop courtes. Il était normal qu'elle soit inquiète.

— Ne vous inquiétez pas. Votre sœur m'a dit qu'elle tiendrait sa promesse.

À ces mots, Kei fit un clin d'œil en direction de Mlle Hiraï, qui s'était complètement transformée en vapeur.

Kei… Merci…

Émue par le geste de son amie, Mlle Hiraï versa encore une larme.

Kumi demeura silencieuse un moment, puis elle finit par répondre avec un sourire :

— Ah, d'accord. Eh bien, je vais rentrer, ajouta-t-elle en inclinant la tête poliment.

Kumi !

En même temps que sa conscience s'évanouissait, Mlle Hiraï avait revu le sourire heureux de Kumi. Le paysage qui s'étendait devant elle défilait de haut en bas, comme un film en accéléré. Elle ne pouvait plus s'arrêter de pleurer.

*

Quand elle reprit ses esprits, Mlle Hiraï vit, debout devant elle, la femme en blanc qui était revenue des toilettes. Kazu, Nagare, Mme Kôtake et Kei étaient là aussi. Mlle Hiraï était retournée dans le présent. Le présent où Kumi n'existait plus.

La femme à la robe blanche ne fit aucun commentaire sur le visage gonflé de larmes de Mlle Hiraï et dit simplement sur un ton mécontent :

— Pousse-toi.

— Ah, oui…, répondit Mlle Hiraï en s'empressant de céder sa place.

La femme en blanc se glissa sans bruit entre la table et la chaise, repoussa la tasse de Mlle Hiraï et replongea dans son roman.

Mlle Hiraï essuya ses larmes et prit une grande inspiration.

— Je n'ai peut-être plus ma place là-bas… et j'ignore si je saurai faire ce métier…

Elle regarda la dernière lettre de Kumi, qu'elle serrait dans ses mains.

— Mais ça ne posera pas de problème… que je rentre maintenant, n'est-ce pas ?

Elle était prête à tout laisser derrière elle : son bar, ses affaires… C'était bien son genre de tout planter là. Il n'y avait pas une once d'hésitation sur son visage.

Kei hocha la tête et répondit avec entrain :

— Mais oui, ça ira !

Elle ne posa aucune question à Mlle Hiraï sur l'expérience qu'elle venait de faire dans le passé. Elle n'avait pas besoin de le savoir.

Mlle Hiraï sortit 380 yens de son portefeuille pour régler le café. Elle mit les pièces dans la main de Nagare puis, d'un pas léger, elle sortit.

Ding-dong.

Kei la suivit des yeux et murmura : « Je suis contente pour toi... » en se caressant le ventre.

Occupé à ranger la monnaie dans le tiroir-caisse, Nagare observait sa femme, le visage grave.

Acceptera-t-elle de renoncer ?

Il était le seul dans la salle à avoir l'air sombre, tandis que l'écho de la cloche continuait à résonner dans le café.

Ding... dong...

4
La mère et l'enfant

Dans les haïkus, la cigale *higurashi* est associée à l'automne. Elle renvoie l'image d'un insecte qui chante à la fin de l'été, mais en réalité les *higurashi* stridulent dès le début de la saison estivale, à l'instar des autres cigales. Pourtant, alors que le chant des cigales *aburazemi* ou *minminzemi* évoque le soleil brûlant ou l'été qui bat son plein, celui des *higurashi* fait penser au crépuscule et à la fin de la saison chaude.

Quand le soleil décline et que l'horizon s'assombrit, l'écho de leur chant, *kana kana kana*, inspire une sorte de mélancolie qui donne envie de rentrer chez soi au plus vite.

Ces *higurashi*, il est rare de les entendre en ville. Car à la différence des *aburazemi* et des *minminzemi*, elles aiment les endroits sombres, à l'abri du soleil, comme les forêts et les bois de cèdres.

L'une d'elles s'était cependant installée non loin du café. Quand le soleil commençait à décliner s'élevait d'on ne sait où un *kana kana kana* fugitif et éphémère. Ce chant résonnait parfois jusque dans le café, mais comme celui-ci était situé en sous-sol, il fallait vraiment tendre l'oreille pour entendre quelque chose.

En cet après-midi d'août, alors que les cigales *abura-zemi* faisaient résonner leur *dzii dzii dzii* strident et que l'Agence météorologique avait annoncé des records de chaleur, il faisait toujours aussi frais au *Funiculi funicula*. Kazu était en train de lire à voix haute le message que Mlle Hiraï avait envoyé sur le téléphone de Nagare :

— « Ça va faire deux semaines que je suis rentrée chez mes parents, mais il y a tellement de choses à retenir que ça me désespère. »

— Aïe aïe aïe…

Mme Kôtake et Nagare écoutaient attentivement. Les messages de Mlle Hiraï arrivaient toujours sur le téléphone de Nagare, car ni Kazu ni Kei n'avaient de portable. Kazu, qui n'était décidément pas douée pour les interactions sociales, ne voyait dans cet accessoire qu'une source d'ennuis, et Kei, qui considérait qu'un couple n'avait pas besoin de deux portables, avait résilié son abonnement téléphonique après son mariage.

Mlle Hiraï, quant à elle, utilisait trois portables différents. Un pour ses clients, un pour son usage personnel, un pour sa famille. Jusqu'alors, le répertoire de ce dernier ne contenait que les numéros de ses parents et de sa petite sœur Kumi. Récemment, elle y avait ajouté deux numéros : celui du *Funiculi funicula* et celui de Nagare. Mais ça, personne ne le savait.

Kazu continua de lire le message :

— « Mes rapports avec mes parents sont toujours un peu houleux, mais je ne regrette pas d'être rentrée. Je ne veux pas qu'on se rende malheureux, parce que ça reviendrait à faire de Kumi la responsable de notre malheur.

« Par ma façon de mener ma vie, je donnerai peut-être du sens à celle de Kumi, non ? Eh oui, moi aussi, je pense à des trucs profonds de temps en temps.

« Tout ça pour te dire que je vais bien. Si tu en as l'occasion, n'hésite pas à venir me rendre visite. Pour cette année, c'est trop tard, mais le festival Tanabata vaut le détour. Transmets mes amitiés à tout le monde. Yaeko Hiraï. »

Nagare, qui écoutait les bras croisés sur le seuil de la cuisine, plissa les yeux. C'était sa manière à lui de sourire, même si on ne savait jamais trop comment l'interpréter.

— C'est formidable, se réjouit Mme Kôtake, qui était assise au comptoir.

Elle avait dû profiter d'une pause pour venir, car elle était en tenue d'infirmière.

— Regarde…

Kazu lui tendit le téléphone pour lui montrer la photo jointe au message.

— Ça alors, elle a vraiment la prestance d'une patronne d'auberge !

— C'est bluffant, n'est-ce pas ? dit gaiement Kazu.

Mlle Hiraï posait devant l'auberge, les cheveux relevés et vêtue d'un kimono rose en teinture *ikkonzome*, l'emblème des patronnes de l'auberge Takakura.

— Elle a l'air heureuse.

— C'est vrai.

Mlle Hiraï arborait un large sourire plein d'assurance. Si ses rapports avec ses parents étaient toujours un peu houleux, comme elle l'avait écrit, son père Yasuo et sa mère Michiko posaient tout de même à côté d'elle.

Nagare regarda l'écran du téléphone par-dessus l'épaule de Kazu.

— Sa petite sœur doit être contente aussi, non ? murmura-t-il.

— Oui, j'en suis sûre, répondit Mme Kôtake sans quitter des yeux la photo.

Kazu hocha la tête. L'expression froide et solennelle qu'elle affichait lors du rituel pour voyager dans le passé avait disparu de son visage, elle dégageait maintenant un air doux et bienveillant.

— Au fait, fit Mme Kôtake en rendant à Kazu le téléphone, qu'est-ce qu'elle fabrique, elle ?

Elle avait dit ça d'un air dubitatif en se tournant vers la femme à la robe blanche, mais ce n'était pas elle qu'elle désignait ; l'infirmière parlait de la personne qui partageait sa table, Fumiko Kiyokawa, la jeune femme qui était retournée dans le passé au printemps dernier. En général, Fumiko avait le style typique de la jeune cadre dynamique, mais elle était sans doute en congé, car elle portait ce jour-là une tenue décontractée : un haut noir à manches trois quarts, un pantalon stretch blanc et des sandales à lacets.

Sans manifester le moindre intérêt pour le message de Mlle Hiraï, elle scrutait depuis tout à l'heure le visage de la femme en blanc. Personne n'avait la moindre idée de ce qu'elle cherchait à faire.

Depuis le printemps, elle avait pris l'habitude de venir de temps en temps au café. Chaque fois, elle s'installait à la table de la femme en blanc. Elle adressa soudain la parole à Kazu :

— Dites, ça fait un moment que je me pose la question, mais... Si on peut voyager dans le temps... ça veut dire qu'on peut aussi aller dans le futur ?

— Ah, moi aussi, j'aimerais bien savoir ! dit Mme Kôtake.

Fumiko poursuivit :

— Aller dans le passé comme dans le futur, c'est le même principe, non ? Dans ce cas, ça devrait être possible...

— C'est vrai, ça ! ajouta Mme Kôtake, le regard brillant.

— Oui, c'est possible, répondit simplement Kazu.

— Sérieux !?

Sous le coup de l'enthousiasme, Fumiko se leva et bouscula la table, renversant le café de la femme en blanc. Celle-ci remua un sourcil. Affolée, Fumiko s'empressa d'essuyer le café avec des serviettes en papier. Pas question d'être de nouveau frappée par la malédiction.

— Mais personne n'y va, ajouta la serveuse avec son flegme habituel.

— Comment ça ? Mais pourquoi ?

La voix de Fumiko avait déraillé dans les aigus. Qu'on ne lui fasse pas croire qu'elle était la seule à vouloir aller dans le futur ! Mme Kôtake fixait Kazu avec des yeux ronds, dans l'attente d'explications elle aussi. La serveuse consulta Nagare du regard, puis :

— Si vous pouviez voyager dans le futur, en quelle année voudriez-vous aller ?

Fumiko semblait avoir déjà réfléchi à la question, car elle répondit aussitôt :

— Dans trois ans !

Elle avait un peu rougi.

— Pour voir votre petit ami ? demanda Kazu, toujours impassible.

— C'est ça, répondit-elle en levant le menton avec un air de défi.

Mais son visage devenait écarlate.

— Y a pas de quoi être gênée ! se moqua Nagare.

— Je ne suis pas gênée ! rétorqua-t-elle sans convaincre personne.

Nagare et Mme Kôtake échangeaient des regards narquois, tandis que Kazu se contentait de l'observer de son habituel regard froid.

Fumiko lui demanda à voix basse :

— Ce n'est pas possible ?

— Si, mais…

— Mais ?

— Comment savoir si dans trois ans, à la date que vous aurez choisie, votre petit ami sera dans ce café ?

— Oh…

En effet, réfléchit Fumiko, même si elle se rendait trois années dans le futur, elle n'avait aucune garantie que Gorô se trouve au *Funiculi funicula.*

Kazu poursuivit :

— Les événements du passé s'étant déjà produits, on peut retourner à un moment précis de notre choix. Mais…

— Le futur, on n'en sait rien ! C'est ça ? intervint Mme Kôtake, à la manière d'une candidate de jeu télévisé.

— Dans le futur, quel que soit le jour qu'on choisisse, on ne peut avoir la garantie que la personne qu'on souhaite voir sera là, confirma Kazu.

Fumiko ne devait pas être la première à poser cette question et Nagare ajouta :

— Sans oublier qu'on n'a que quelques minutes avant que le café refroidisse. Du coup, les probabilités de voir la personne qu'on veut sont vraiment faibles.

— Ça ne sert à rien d'y aller, donc…, dit Fumiko, l'air résignée.

— Exactement.

— Je vois…

Ne trouvant aucune faille dans la logique de cette règle, Fumiko se tut.

Même si on retourne dans le passé, on ne peut pas changer le présent. On peut aller dans le futur, mais ça ne sert à rien. Je comprends maintenant pourquoi cet article de magazine sur les légendes urbaines disait que ça n'avait pas d'intérêt…

Nagare plissa les yeux et se remit à la taquiner :

— Tu voulais vérifier que tu serais bien mariée, c'est ça ?

— Non, pas du tout !

— Tu parles !

— Je vous dis que ce n'est pas ça !

Plus Fumiko s'acharnait, plus elle s'enfonçait.

Malheureusement, même si elle l'avait voulu, elle n'aurait pas pu aller dans le futur. Car il y avait encore une autre règle enquiquinante : une fois qu'on avait voyagé dans le temps depuis cette chaise, il n'était plus possible d'aller ni dans le passé ni dans le futur. L'occasion ne se présentait pas deux fois.

Mais ça, je me garderai bien de lui dire, pensa Kazu en regardant Fumiko. Ce n'était aucunement pour la ménager : elle avait tout simplement la flemme de trouver une explication rationnelle aux questions que la jeune femme ne manquerait pas de lui poser.

Ding-dong.

— Bienvenue.

M. Fusagi apparut à l'entrée. En ce jour le plus chaud de l'année, il portait un polo bleu marine, un short beige, des sandales japonaises et un sac en bandoulière à l'épaule. Et il épongeait sa sueur avec une serviette blanche.

— Bonjour, monsieur Fusagi ! l'accueillit Nagare.

En entendant son nom, M. Fusagi afficha un instant un air ahuri, puis il fit un petit salut de la tête et il s'installa à la table la plus proche de l'entrée, comme à son habitude.

Mme Kôtake s'approcha de lui à pas légers, les mains croisées derrière le dos.

— Ça va, mon chéri ? fit-elle sur un ton engageant.

Elle ne l'appelait plus « monsieur Fusagi ».

— À qui ai-je l'honneur ?

— À ta femme.

— Ma femme ? Ma femme à moi ?

— Tout à fait.

— Vous plaisantez ?

— Non, c'est la vérité.

Elle s'installa en face de lui. Il semblait désorienté de voir une inconnue se permettre de telles familiarités, et le trouble envahit son visage.

— Euh… Qui vous a autorisée à vous asseoir à ma table ?

— J'ai bien le droit, je suis ta femme.

— Mais non, vous n'avez pas le droit ! Je ne vous connais pas.

— Alors, j'aimerais que tu apprennes à me connaître.

— Qu'est-ce que vous me chantez là ?

— Tu peux considérer ça comme une demande en mariage, répondit-elle en souriant.

M. Fusagi la regarda, incrédule. Ne sachant plus que faire, il demanda de l'aide à Kazu, qui venait lui apporter un verre d'eau.

— Excusez-moi… Vous pourriez la raisonner, s'il vous plaît ?

Au premier abord, Mme Kôtake et M. Fusagi avaient l'air d'un couple attendrissant qui se taquine, mais, à voir le visage de l'homme, on comprenait qu'il était complètement perdu.

— Je crois que tu le mets vraiment mal à l'aise, dit Kazu à Mme Kôtake.

— Tu penses ?

— Tu devrais peut-être le laisser tranquille pour aujourd'hui, ajouta Nagare depuis le comptoir.

Mme Kôtake et M. Fusagi se livraient de temps en temps à ce type d'échange. Mais M. Fusagi ne refusait pas systématiquement de croire que cette infirmière était sa femme. Il lui arrivait de répondre « Ah bon ? » avec étonnement. Il y avait deux jours, ils avaient même bavardé longuement, assis l'un en face de l'autre.

La plupart du temps, ils parlaient de souvenirs de voyages. À M. Fusagi qui disait : « Je suis allé ici, et puis là-bas », Mme Kôtake répondait joyeusement : « Moi aussi, je suis allée aux mêmes endroits. » Elle appréciait de plus en plus ces petites discussions anodines.

— Bon, tant pis, je continuerai plus tard à la maison.

Sur ces mots, Mme Kôtake se leva et retourna s'asseoir au comptoir. Elle savait s'arrêter quand il le fallait.

— Tu as l'air heureuse, lui dit Nagare.

— C'est vrai, répondit-elle, ravie.

M. Fusagi continuait à éponger sa sueur malgré la fraîcheur de la salle. Il finit par sortir un magazine de voyages de son sac en bandoulière et il commanda un café.

— Je vous prépare ça, répondit Kazu, et elle disparut dans la cuisine.

Fumiko reprit son observation de la femme en blanc. Mme Kôtake, le menton posé au creux de la main, contempla M. Fusagi qui essayait de se concentrer sur sa lecture. Nagare, tout en regardant le couple, commença à moudre du café avec son moulin à l'ancienne. La femme à la robe blanche lisait un roman, comme d'habitude.

Alors que le parfum des grains fraîchement moulus embaumait la pièce, Kei apparut sur le seuil de l'arrière-salle.

Nagare s'interrompit. En voyant la pâleur de Kei, Mme Kôtake laissa échapper un cri d'étonnement. Kei était livide, et sa démarche tellement incertaine qu'elle semblait sur le point de s'effondrer.

— Ça va ?

Nagare essayait de paraître calme, mais il avait pâli lui aussi.

— Grande sœur… tu devrais te reposer aujourd'hui, dit Kazu qui sortait de la cuisine.

— Non, tout va bien, ça va aller…

Kei essayait de sourire, mais elle ne pouvait dissimuler la souffrance sur son visage.

— Tu ne te sens pas bien ?

Mme Kôtake s'approcha de Kei pour l'aider à marcher.

— Tu ne devrais pas forcer…

— Non, vraiment, tout va bien, répondit Kei.

Elle fit le V de la victoire avec ses doigts et passa derrière le comptoir. Mais il était clair, aux yeux de tous, qu'elle n'allait pas bien.

Kei avait le cœur fragile depuis la naissance. Les médecins lui avaient déconseillé de pratiquer des activités physiques intenses, et elle ne pouvait même pas faire de sport avec ses camarades. Mais Kei, qui était de nature sociable et insouciante, faisait preuve d'une vive curiosité et elle possédait un tempérament libre et indépendant. Elle savait profiter de la vie mieux que quiconque, avec ce qui lui était donné. Elle avait, selon les mots de Mlle Hiraï, « un vrai talent pour le bonheur ».

S'il lui était interdit d'avoir des activités physiques intenses, il suffisait de ne pas faire de sport intensément. C'était sa façon de voir les choses. À la fête des sports de l'école, elle avait participé à l'épreuve de course à pied en fauteuil roulant, poussée par un autre élève. Ils étaient arrivés derniers, mais au moins ils y étaient allés à fond. Aux cours de danse, elle exécutait des chorégraphies tout en lenteur, en décalage total avec les autres élèves. Son comportement aurait très bien pu briser l'harmonie du groupe, mais personne ne considérait les choses de cette manière. Kei exerçait un attrait particulier, et il ne venait à l'idée de personne de s'opposer à elle. Mais, régulièrement, son cœur n'en faisait qu'à sa tête, l'obligeant à interrompre sa scolarité pour se faire hospitaliser.

C'est à l'hôpital qu'elle avait rencontré Nagare. À l'époque, elle avait dix-sept ans et elle était en deuxième année de lycée. Comme elle devait garder le lit, ses seuls plaisirs consistaient à bavarder avec les infirmières et les visiteurs, ainsi qu'à contempler le paysage depuis sa fenêtre.

Un jour, alors qu'elle regardait le jardin de l'hôpital depuis sa chambre, elle remarqua un homme couvert de bandages des pieds à la tête. Kei ne put le lâcher des yeux. En plus d'être bandé de partout, il était très grand. Les autres personnes paraissaient minuscules à côté de lui. Kei décida de le surnommer « l'homme-momie », et elle le contempla tous les jours sans se lasser.

Elle apprit d'une infirmière que l'homme-momie était hospitalisé à la suite d'un accident de la circulation. Alors qu'il traversait un carrefour à pied, il avait été heurté par un camion qui avait dévié de sa trajectoire après une collision avec une voiture. L'homme-momie avait été projeté sur vingt mètres avant de percuter la vitrine d'un magasin. Les passagers de la voiture étaient sains et saufs, mais le poids lourd, monté sur la bordure du trottoir, s'était renversé. Vu la gravité de l'accident, une personne ordinaire serait probablement morte sur le coup. Mais l'homme-momie s'était relevé comme si de rien n'était. Sauf qu'il était couvert de sang. Ce qui ne l'empêcha pas de se porter au secours du chauffeur coincé à l'intérieur du camion. De l'essence s'écoulait du véhicule. Il parvint à extraire le chauffeur qui avait perdu connaissance et demanda aux badauds d'appeler une ambulance. Il fut lui aussi conduit à l'hôpital, mais, en dépit de l'impressionnante quantité de sang qu'il avait perdue, il ne souffrait que de coupures et d'égratignures.

En entendant cette histoire, Kei fut encore plus intriguée par cet homme. Elle comprit bientôt que cet intérêt était en fait un sentiment amoureux. C'était la première fois que Kei tombait amoureuse.

Un jour, sous le coup d'une impulsion, elle alla voir l'homme-momie. Face à lui, elle se rendit compte qu'il était encore plus grand qu'elle ne l'imaginait. C'était une armoire à glace. Mais Kei ne se laissa pas intimider et elle lui dit en faisant étinceler ses yeux :

— Je veux devenir votre épouse.

Il n'y avait ni gêne ni hésitation dans sa voix. Elle avait dit ça sans détour, en regardant l'homme-momie droit dans les yeux. C'était la première phrase qu'elle avait prononcée devant lui.

L'homme-momie la considéra un moment, puis il se contenta de répondre :

— Dans ce cas, tu travailleras dans un café.

Ils sortirent ensemble pendant trois ans et, lorsque Kei eut vingt ans et Nagare vingt-trois, ils se marièrent.

Kei, qui avait insisté pour travailler malgré sa pâleur, essuyait la vaisselle propre et la rangeait dans les étagères. Dans la cuisine, on entendait l'eau bouillir dans la cafetière à siphon. Kazu et Nagare avaient repris leurs tâches respectives, mais

Mme Kôtake regardait Kei avec inquiétude. La femme en blanc avait les yeux fixés sur Kei, mais personne ne s'en aperçut.

— Ah !

Mme Kôtake avait poussé un cri, et on entendit un verre se briser. Il avait glissé des mains de Kei.

— Grande sœur !

Kazu, que d'habitude rien n'ébranlait, surgit de la cuisine.

— Je suis désolée, j'ai cassé un verre.

— Laisse, je m'en occupe…

Kei voulut ramasser les débris, mais Kazu l'empêcha de se baisser. Nagare les regardait sans rien dire.

Mme Kôtake n'avait jamais vu Kei dans un état pareil. En tant qu'infirmière, elle était habituée à côtoyer des malades, mais le malaise de son amie l'avait profondément troublée.

— Je suis désolée, je vous ai fait peur.

— Tu devrais aller à l'hôpital, conseilla Mme Kôtake.

— Non, vraiment, ça va…

— Mais…

Kei s'entêtait en secouant la tête, mais elle respirait difficilement. Son état semblait plus grave qu'elle ne le pensait.

Nagare demeurait silencieux et regardait sa femme d'un air sombre. Celle-ci poussa un soupir.

— Je vais quand même aller me reposer, dit-elle, et elle retourna dans l'arrière-salle d'un pas chancelant.

En voyant l'expression de Nagare, elle avait compris qu'il était très inquiet.

— Je te laisse gérer la salle, dit-il à Kazu avant d'aller rejoindre Kei.

— D'accord…

Kazu restait plantée là, la tête ailleurs.

— Mon café…, réclama timidement M. Fusagi.

— Ah, pardon…

La serveuse reprit ses esprits.

La journée s'acheva sans que rien ne vienne alléger l'atmosphère pesante qui régnait dans la salle.

*

Depuis qu'elle était enceinte, Kei parlait à son bébé dès qu'elle en avait l'occasion. Vu qu'elle n'en était qu'à sa quatrième semaine, il était encore un peu tôt pour parler de « bébé », mais Kei s'en fichait.

Au réveil, elle lui disait « Bonjour », puis elle lui racontait le programme de la journée. Ces conversations avec son bébé lui procuraient un bonheur nouveau.

— Tu le vois ? C'est ton papa !

— Mon papa ?

— *Yes !*

— Il est énorme, mon papa.

— Oui. Mais il n'y a pas que son corps qui est énorme. Son cœur est énooorme lui aussi. C'est un papa très gentil, tu pourras compter sur lui.

— J'ai hâte de le voir, alors.

— Papa et maman ont hâte de te voir aussi !

Voilà à peu près à quoi ressemblaient leurs conversations.

En principe, vers la cinquième semaine d'aménorrhée, le sac gestationnel est visible dans l'utérus et on peut déceler l'activité cardiaque de l'embryon, qui ne mesure encore qu'un ou deux millimètres. À partir de là, rapidement, les yeux, les oreilles et la bouche commencent à se former, l'estomac, les intestins, les poumons, le pancréas, les nerfs crâniens, l'aorte se développent, les bras et les jambes apparaissent. Mais la croissance du fœtus engendrait, lentement mais inévitablement, l'affaiblissement de Kei.

Elle avait également des bouffées de chaleur et de la fièvre, tandis que l'hormone produite par le futur placenta l'accablait de fatigue et de sommeil. Instable psychologiquement, elle se fâchait ou se démoralisait pour un rien. Son goût s'était altéré lui aussi.

Pourtant, Kei ne se lamentait jamais. Elle multipliait les allers-retours à l'hôpital depuis l'enfance et elle n'était pas du genre à se plaindre au moindre mal. Mais son état s'était brusquement dégradé ces derniers temps.

Deux jours auparavant, Nagare était allé voir le médecin de Kei afin de lui demander ce qu'il en pensait. Son avis avait été sans appel : «En toute franchise, son cœur est trop fragile pour supporter un accouchement. Votre femme commencera bientôt à avoir des nausées. Si elles sont trop violentes, il faudra peut-être l'hospitaliser. Les probabilités que la mère et l'enfant survivent à l'accouchement sont extrêmement faibles. Même en y parvenant, la mère garderait de graves séquelles. Il est certain que son espérance de vie s'en trouverait affectée. »

Il avait ajouté : « En principe, l'IVG est pratiquée jusqu'à la douzième semaine. Si votre femme souhaite interrompre sa grossesse, mieux vaut agir au plus vite, avant qu'il ne soit trop tard… »

Une fois rentré, Nagare avait rapporté les propos du médecin à Kei, sans rien lui cacher, mais elle s'était contentée de répondre : « Je sais… »

*

Le soir était tombé et Nagare, qui avait fermé le café, était assis tout seul au comptoir. Seules les lampes murales éclairaient le décor. Des grues réalisées avec des serviettes en papier[1] étaient étalées sur le comptoir. Le bruit des horloges résonnait dans la salle. Les mains de Nagare remuaient dans l'espace figé.

Ding-dong.

Il ignora le tintement de la cloche et posa sur le comptoir la grue qu'il venait de confectionner.

---

1. Au Japon, l'origami représentant la grue est un symbole de paix et de guérison. Selon une légende, si l'on confectionne mille grues en papier pour une personne gravement malade, sa maladie disparaîtra.

Mme Kôtake entra. Préoccupée par le malaise de Kei l'après-midi, elle avait tenu à repasser au café avant de rentrer chez elle.

— Comment va-t-elle ?

L'infirmière avait appris assez tôt la grossesse de Kei, mais comment aurait-elle pu imaginer que son état se dégraderait aussi vite ?

— Ça va à peu près, se contenta de répondre Nagare.

Mme Kôtake s'installa à côté de lui en laissant un siège libre entre eux.

Il se gratta le nez.

— Désolé de te causer du souci.

— Je t'en prie. Tu es sûr qu'il ne vaut pas mieux l'emmener à l'hôpital ?

— Tu sais bien que c'est une tête de mule…

— Mais…

Nagare, qui avait commencé à confectionner une autre grue, s'interrompit.

— … je me suis même opposé à ce qu'elle le garde.

Sa voix était tellement basse que si la salle n'avait pas été plongée dans le silence, même Mme Kôtake n'aurait pas entendu.

— Mais elle tient absolument à aller jusqu'au bout…

Nagare esquissa un sourire, et il baissa la tête aussitôt après. Il n'avait pas pu s'opposer fermement à la décision de sa femme. Il avait été incapable d'affirmer « Tu ne devrais pas le garder ». Il ne lui était pas possible de choisir entre la vie de Kei et celle de l'enfant qu'elle portait.

Ne sachant comment réagir, Mme Kôtake leva les yeux vers le ventilateur qui tournait lentement au plafond.

— C'est loin d'être évident…, finit-elle par lâcher.

Au bout d'un moment, Kazu sortit de l'arrière-salle. Elle regarda Nagare. Son expression impassible de toujours avait laissé place à une vague tristesse.

— Comment elle va ?

À peine Nagare avait-il prononcé ces mots que la silhouette de Kei apparut derrière Kazu. Son visage était pâle et son pas mal assuré, mais elle semblait en meilleure forme que l'après-midi. Elle se posta derrière le comptoir, de manière à faire face à son mari.

Elle le fixait, mais il évitait son regard et observait les grues en papier. Ni l'un ni l'autre ne parlaient, et les minutes s'égrenaient, interminables. Mme Kôtake n'osait même plus bouger.

Kazu alla dans la cuisine et commença à préparer du café. Elle plaça un filtre dans l'entonnoir, puis versa de l'eau chaude dans le ballon inférieur. Comme la salle était plongée dans le silence, on pouvait aisément imaginer les gestes de la serveuse, même si on ne la voyait pas. Bientôt, l'eau dans le ballon entra en ébullition et on entendit son *ploc-ploc* s'élever vers l'entonnoir. En quelques minutes, un parfum de café flottait dans toute la salle.

Stimulé par l'odeur, Nagare releva la tête. À cet instant, Kei dit à voix basse :

— Je suis désolée.

— Désolée de quoi ?

— Demain, je vais aller l'hôpital. Pour me faire hospitaliser.

Elle semblait essayer de se convaincre elle-même.

— Pour tout te dire, j'ai peur qu'une fois là-bas, je ne puisse plus revenir ici. C'est pour ça que j'ai mis du temps à me décider, poursuivit-elle.

— Je comprends…

Nagare serra les poings. Kei leva le menton et fixa le vide de ses grands yeux.

— Mais là, je crois que j'atteins mes limites…

Elle semblait sur le point de pleurer. Nagare l'écoutait en silence.

— Mon corps ne pourra pas tenir plus longtemps…

Elle posa la main sur son ventre encore plat.

— Le dernier effort qu'il me reste à faire, c'est de mettre au monde ce petit…, dit-elle avec un sourire amer.

Elle connaissait mieux que quiconque son corps et ses limites.

— C'est pour ça que…

C'est pour ça qu'elle avait décidé d'aller à l'hôpital. Nagare tourna les yeux vers elle et répondit seulement :

— D'accord.

— Ma petite Kei…

Mme Kôtake ne l'avait jamais vue aussi bouleversée. En tant qu'infirmière, elle savait à quel point l'accouchement était risqué pour Kei. Ses récentes nausées l'avaient déjà beaucoup affaiblie. Personne ne l'aurait blâmée si elle avait renoncé à garder l'enfant. Et pourtant, elle était décidée à le mettre au monde.

— Mais j'ai peur quand même, dit-elle d'une voix tremblante.

Elle posa doucement la main sur son ventre.

— Est-ce que tu pourras être heureux, dis ? Tu ne seras pas triste ? Tu ne pleureras pas ?

Elle s'était remise à parler à son enfant, comme elle le faisait toujours.

— La seule chose que je puisse faire pour toi, c'est te mettre au monde. Tu me pardonneras ?

Kei tendit l'oreille, mais l'enfant ne répondit pas.

Une larme roula sur sa joue.

— J'ai peur… Ça me fait peur de ne pas pouvoir être là pour lui…

Elle regardait Nagare droit dans les yeux.

— Qu'est-ce que je dois faire ? Je veux que cet enfant soit heureux, c'est tout… Mais j'ai si peur…

Incapable de répondre, Nagare avait les yeux rivés sur les grues de papier.

Clac !

La femme à la robe blanche ferma son roman. Mais elle ne l'avait visiblement pas terminé, car un marque-page avec un ruban rouge était inséré à l'intérieur. Kei se tourna vers elle et leurs regards se croisèrent. La femme cligna lentement des paupières, juste une fois, puis elle se leva. Kei n'avait aucune idée de ce que signifiait ce mouvement des yeux. Le fantôme passa derrière Nagare et Mme Kôtake sans faire le moindre bruit, puis s'engouffra dans les toilettes.

Sa place était libre.

Comme irrésistiblement attirée, Kei s'avança vers la chaise qui permettait de retourner dans le passé et murmura :

— Kazu... tu veux bien me préparer un café ?

Nagare dit à sa femme, qui lui tournait le dos :

— Non... Tu ne vas pas faire ça...

Kazu se remémora la conversation qu'elle avait eue plus tôt dans la journée avec Fumiko Kiyokawa à propos de la possibilité d'aller dans le futur.

Personne n'essayait d'aller dans le futur parce que « ça ne sert à rien », pourtant c'était précisément ce que Kei était en train de demander à faire.

— Juste un regard...

— Attends, je te dis, intervint Nagare.

— Je veux juste le voir le temps d'un regard...

— Tu veux aller dans le futur pour ça ?

Il était rare que le patron hausse ainsi la voix.

— Mais...

— Tu ne sais même pas si tu le verras. À quoi bon y aller, si tu ne peux pas le voir ?

— Je comprends, mais...

Kei implorait Nagare des yeux. Mais il se contenta de répondre « C'est non », avant de lui tourner le dos.

Jamais Nagare ne s'était montré si ferme avec elle. Il respectait plus que quiconque son caractère obstiné. Quand elle avait décidé de garder l'enfant malgré les risques, il ne s'y était pas opposé avec véhémence. Mais cette fois, il ne voulait rien entendre.

Même si Kei parvenait à aller dans le futur, non seulement elle avait peu de chances de voir son enfant, mais si jamais cet enfant n'existait pas, elle perdrait peut-être la force de vivre. C'était ce que Nagare craignait le plus.

Kei semblait anéantie. Elle n'arrivait pas à abandonner l'idée d'aller dans le futur, et elle restait debout devant la chaise.

— En quelle année ? demanda Kazu tout bas.

Elle s'approcha lentement de Kei et poursuivit en débarrassant la tasse de la femme en blanc :

— Quelle année, quel mois, quel jour, quelle heure ?

— Kazu !

La serveuse ignora Nagare.

— Je retiendrai la date. Pour que tu sois sûre de le voir…

Elle promit à Kei de faire en sorte que l'enfant soit au café à la date de son choix.

— Kazu, ma chérie…

— Tu n'as donc pas à t'inquiéter, grande sœur.

La serveuse sentait que la soudaine dégradation de l'état de Kei n'était pas seulement due à sa grossesse. Sa détresse psychologique y entrait pour beaucoup.

Kei n'appréhendait pas la mort. Mais elle était attristée et tourmentée à l'idée de ne pas voir son enfant grandir. La tristesse et le tourment lui rongeaient le cœur, drainant toute son énergie. Et, à mesure qu'elle voyait son état se dégrader, son inquiétude grandissait. On dit parfois que toute maladie commence dans la tête, alors Kazu craignait que l'état de santé de Kei se détériore à tel point que ni la mère ni l'enfant ne puissent survivre.

Les yeux de Kei s'illuminèrent.

Je vais pouvoir aller voir mon enfant.

C'était un petit, un minuscule espoir. Elle se tourna vers Nagare et le fixa intensément de ses grands yeux ronds.

Après un silence, il poussa un soupir et détourna la tête.

— Fais ce que tu veux, lâcha-t-il, et il lui tourna le dos.

— Merci…, fit-elle dans un murmure, toujours en le regardant.

Elle s'installa sur la chaise et respira profondément, avant de fermer les yeux. Mme Kôtake avait joint les mains devant elle, comme si elle priait.

C'était la première fois qu'elle voyait Kazu s'opposer à Nagare. Mis à part les clients de ce café, Kazu ne parlait quasiment jamais aux inconnus, et elle ne semblait pas avoir beaucoup de camarades à l'école d'art. Elle était toujours seule. Dès qu'elle rentrait des cours, elle enfilait son uniforme pour servir les clients. Une fois son travail terminé, elle s'enfermait dans sa chambre, où elle passait son temps à dessiner.

Kazu réalisait au crayon des dessins hyperréalistes, qui ressemblaient à des photographies. Elle ne pouvait dessiner que des choses qu'elle avait vues en vrai. Il ne lui était pas possible de représenter des choses issues de son imagination ou qui n'existaient pas dans la réalité.

L'homme n'est pas capable d'appréhender objectivement ce qu'il voit et ce qu'il entend. Les informations qu'il reçoit sont déformées par son expérience, sa pensée, les circonstances, ses fantasmes, ses goûts, ses connaissances ou encore sa conscience. Picasso, par exemple, a réalisé un nu extraordinaire à l'âge de huit ans. À quatorze ans, il a peint le tableau d'une première communion dans un style réaliste. Plus tard, profondément choqué par le suicide de son meilleur ami, il a connu sa période bleue, caractérisée par des peintures exécutées dans des teintes bleues et sombres. À la suite de sa rencontre avec sa nouvelle compagne, il a connu sa période rose, faite de tableaux aux couleurs vives, puis il a puisé son inspiration dans la sculpture africaine et a développé le cubisme. Son style est passé ensuite par le néoclassicisme, le surréalisme, puis il a réalisé de célèbres tableaux tels que *La femme qui pleure* et *Guernica*. Toutes ces œuvres sont des projections de ce que l'artiste a vu de ses propres yeux, à travers son filtre.

Jusqu'alors, Kazu ne s'était jamais opposée aux choix et aux actes des autres. Car elle ne laissait pas ses sentiments entamer son filtre. Elle gardait une certaine distance avec tout ce qui se produisait autour d'elle, afin de ne rien influencer. C'était la position et la manière de vivre qu'elle avait choisies.

Elle se comportait ainsi avec n'importe qui. Par son attitude froide, elle signifiait aux clients désireux de retourner dans le passé : « Quelles que soient vos raisons, ça ne me regarde pas. »

Mais Kazu venait de faire une promesse à Kei, l'encourageant à se rendre dans le futur. Son comportement allait avoir une influence directe sur son avenir. Kei n'avait aucune idée de ce qui avait pu motiver Kazu à agir ainsi.

— Grande sœur…

Kei ouvrit les yeux. Kazu se tenait debout à côté d'elle avec le plateau d'argent, sur lequel étaient posées la tasse à café blanche et la petite bouilloire argentée.

— Ça va aller ?

— Oui, tout va bien.

Kei se redressa sur sa chaise et Kazu posa la tasse sur la table. Elle pencha la tête sur le côté, l'air de demander : « En quelle année ? »

Après un instant de réflexion, Kei dit :

— Je voudrais aller dans dix ans, au 27 août…

La date fit sourire Kazu.

— C'est entendu, dit-elle.

Le 27 août correspondait à l'anniversaire de Kei. Ni Kazu ni Nagare ne pourraient oublier cette date.

— À quelle l'heure ?

— Quinze heures.

— Dans dix ans, le 27 août, à quinze heures…

— Oui, s'il te plaît…

La serveuse saisit la bouilloire en argent.

— J'y vais, dit Kei à son mari.

C'était une voix claire, dépourvue de la moindre hésitation. Nagare, qui lui tournait toujours le dos, se contenta d'un « Hum ».

Kazu souleva la bouilloire et la porta au-dessus de la tasse.

— N'oublie pas… Il faut rentrer avant que le café refroidisse…

Au moment où ces mots résonnaient dans la salle plongée dans le silence, Kei sentit que l'air s'était raréfié d'un coup.

Kazu inclina la bouilloire, et un filet noir s'écoula sans bruit du bec long et fin.

Quand elle eut fini de servir, elle remarqua que Kei la fixait. Elle lui adressa un tendre regard, comme pour lui dire : « Je te promets que vous allez vous voir. »

Un filet de vapeur s'éleva de la tasse pleine. Kei eut la sensation qu'elle-même ondulait. D'un coup, son corps devint léger et le paysage autour d'elle se mit à défiler de haut en bas, comme des images en stéréoscopie.

Normalement, Kei aurait réagi comme une enfant dans un parc d'attractions et ses yeux se seraient mis à briller. Mais elle n'était pas en état de s'émerveiller, malgré la magie de l'expérience.

Elle s'apprêtait à rencontrer son enfant, grâce à la chance unique que lui offrait Kazu. Se laissant aller à la sensation de vertige, elle repensa à son enfance.

Le père de Kei, Michinori Matsuzawa, était fragile du cœur lui aussi. Lorsque Kei avait neuf ans, il avait fait un grave malaise sur son lieu de travail et, après plusieurs séjours à l'hôpital, il était décédé l'année suivante.

Kei avait une sensibilité à fleur de peau qui la rendait émotive, et la mort de son père avait jeté un voile sombre sur son cœur.

Cette mort à laquelle elle était confrontée pour la première fois, elle l'avait comparée à une « boîte toute noire » dont on ne pouvait pas sortir. Son père était enfermé dans cette boîte, un lieu triste et malheureux où on ne pouvait voir personne. Quand elle pensait à lui, Kei était incapable de dormir. Petit à petit, la joie avait disparu de son visage.

Sa mère Tomako avait eu une réaction totalement opposée, se montrant joviale en toutes circonstances. Pourtant, elle n'avait jamais été d'un tempérament particulièrement optimiste. Avec Michinori, ils avaient été un couple on ne peut plus ordinaire. Elle avait pleuré lors des funérailles, mais après la cérémonie, elle n'avait pas montré une seule fois un visage sombre, elle était même devenue plus gaie qu'autrefois.

L'attitude de sa mère dépassait Kei, et elle lui avait demandé un jour :

— Comment peux-tu être aussi gaie alors que papa n'est plus là ? Tu n'es pas triste ?

Tomako lui avait répondu en choisissant ses mots avec soin :

— Et si ton père pouvait nous voir depuis cette boîte toute noire, que crois-tu qu'il penserait ? Tu sais, il n'avait pas envie de rentrer dans cette boîte.

Mais pour certaines raisons, il y a été obligé. Que penserait-il s'il te voyait pleurer tous les jours ? Il serait sûrement triste. Je le sais, car il t'aime très fort. Quand on aime quelqu'un très fort, on n'a pas envie de le voir triste. Mais s'il te voit rire tous les jours, ça le rendra heureux. Nos sourires donneront le sourire à ton père. Notre bonheur fera son bonheur.

Kei ne s'était pas rendu compte qu'elle pleurait. Sa mère la prit dans ses bras. Dans ses yeux aussi brillaient les larmes qu'elle n'avait montrées à personne depuis les funérailles.

Mon tour est venu de rentrer dans la boîte…

Il avait fallu toutes ces années à Kei pour comprendre la souffrance de son père. En imaginant les regrets qui avaient dû l'assaillir à l'idée de mourir en laissant sa famille derrière lui, son cœur se serra. Elle admirait la grandeur des paroles de sa mère. Il fallait être capable d'une profonde empathie pour pouvoir dire de tels mots.

*

Au bout d'un moment, le paysage autour de Kei se stabilisa. L'amas de volutes de vapeur qu'elle était devenue retrouva forme humaine.

Grâce à Kazu, elle se trouvait dix ans dans le futur. Kei parcourut la salle du regard. Les piliers imposants et les poutres en bois naturel qui se croisaient au plafond étaient toujours d'un marron foncé lustré comme la peau d'une châtaigne. Les trois grandes horloges trônaient dans le café. Les murs de torchis avaient conservé leur beige orangé raffiné, avec leurs taches qui s'étaient formées au fur et à mesure des années et que Kei appréciait particulièrement. L'éclairage sombre qui vous faisait oublier l'heure, même en journée, teintait la salle d'une couleur sépia et lui conférait une atmosphère rétro. Au plafond, le ventilateur en bois tournait lentement sans faire de bruit. Au premier abord, Kei n'avait aucun moyen de savoir si elle se trouvait bien dix ans dans le futur.

Mais le calendrier à effeuiller à côté de la caisse indiquait bien le 27 août, et Kazu, Nagare et Mme Kôtake, qui étaient avec elle à l'instant, avaient disparu. À leur place, un homme fixait Kei de derrière le comptoir.

Kei fut troublée. Elle ne le connaissait pas. Il était vêtu d'une chemise blanche, d'un gilet et d'un nœud papillon. Les cheveux courts, il portait la raie sur le côté et il avait tout l'air d'être un employé du café. Il ne semblait pas étonné par l'apparition soudaine de Kei ; il savait donc qu'elle était assise à une place particulière. Le fait qu'il ne lui pose aucune question était caractéristique du personnel de ce café.

Après avoir observé Kei pendant un moment, il se mit à essuyer le verre qu'il tenait à la main. Entre la fin de la trentaine et le début de la quarantaine, de taille et de corpulence moyennes, il avait l'allure d'un serveur ordinaire et n'était pas particulièrement affable. Une large trace de brûlure s'étendait du haut de son sourcil droit à son oreille droite, et on n'osait pas trop lui adresser la parole.

— Euh… Je…

D'habitude, rien n'arrêtait Kei, que son interlocuteur soit bourru ou intimidant. Dès qu'elle rencontrait quelqu'un, elle parlait gaiement de tout et de rien avec lui, comme s'il s'agissait d'un ami. Mais là, elle était trop désarçonnée. Elle s'adressa à l'homme dans un japonais maladroit, comme si elle était en train de s'exprimer dans une langue étrangère :

— Euh… Où… où est le patron ?

— Le patron ?

— Le patron de ce café, il est là ?

Tout en rangeant le verre qu'il avait essuyé, l'homme répondit :

— C'est moi-même…

— Pardon ?

— C'est moi…

— Vous ? Le patron ?

— Oui.

— De ce café ?

— Oui.

— Vraiment ?

— Oui, oui.

Ce n'est pas possible !

Kei eut un tel sursaut qu'elle faillit tomber de sa chaise.

L'homme, qui ne s'attendait pas à une telle réaction, interrompit sa tâche et contourna le comptoir.

— J'ai… j'ai dit quelque chose qu'il ne fallait pas ?

Ça devait être la première fois que quelqu'un manquait tomber de sa chaise en apprenant qu'il était le patron. Il semblait clairement déconcerté. De plus, Kei était très expressive, elle avait dû l'effrayer avec son visage sidéré.

Elle essayait désespérément de mettre de l'ordre dans sa tête. Elle n'avait aucune idée de ce qui avait pu se passer pendant ces dix ans. Elle voulait poser plein de questions, cependant non seulement son esprit était confus, mais encore elle manquait de temps. Il fallait qu'elle fasse quelque chose avant que le café ne refroidisse, sinon elle serait venue pour rien.

Kei se ressaisit et tourna les yeux vers l'homme qui la considérait d'un air soucieux.

Il faut que je me calme…

— Excusez-moi…

— Oui ?

— Où est le patron d'avant ?

— Le patron d'avant ?

— Vous savez, le grand, avec des yeux effilés…

— Ah, Nagare ?

— Oui !

L'homme connaissait donc son mari. Kei se pencha en avant.

— Nagare est à Hokkaidô, en ce moment.

— À Hokkaidô ?

— Oui.

Kei répéta en écarquillant les yeux :

— Hokkaidô ?

— Oui.

Elle eut un vertige. Les événements prenaient une tournure totalement inattendue. Depuis qu'elle le connaissait, Nagare ne lui avait pas parlé une seule fois de Hokkaidô.

— Mais pourquoi ?

— Alors ça, je ne saurais pas vous dire…

L'homme, ennuyé, se gratta le sourcil droit.

Kei était profondément troublée.

— Ah, vous êtes donc venue voir Nagare ?

L'homme n'était visiblement au courant de rien. Consternée, Kei n'eut même pas la force de répondre. Elle n'avait jamais été douée pour raisonner de manière logique, elle se fiait plutôt à son instinct. Elle n'arrivait donc pas à comprendre le pourquoi du comment de la situation dans laquelle elle se trouvait. Elle qui pensait naïvement qu'en allant dans le futur, elle verrait aussitôt son enfant !

L'homme demanda :

— Ou alors, c'est Kazu que vous venez voir ?

— Ah ! s'écria Kei malgré elle.

Comment n'y avait-elle pas pensé ? Elle avait été si troublée d'apprendre que l'homme en face d'elle était le patron qu'elle avait oublié un élément crucial. C'était Kazu qui l'avait encouragée à aller dans le futur. Nagare était à Hokkaidô ? Qu'à cela ne tienne ! Elle pouvait compter sur Kazu. Ne pouvant refréner son excitation, elle s'exclama :

— Et Kazu ?

— Pardon ?

— Kazu ! Elle est là ?

Si l'homme s'était trouvé à portée de main, elle l'aurait empoigné. Apeuré, il recula de quelques pas.

— Elle est là ou elle n'est pas là ?!

— Euh… Eh bien…

Kei semblait prête à lui sauter dessus. L'homme détourna les yeux et dit sur un ton désolé :

— En fait, Kazu aussi… Elle est à Hokkaidô.

Kei sentit ses forces l'abandonner.

— Elle aussi ?

C'était comme si son âme l'avait quittée. L'homme la considéra avec inquiétude.

— Euh… ça va ?

— Oui, ça va…, répondit-elle faiblement.

Comme il ne savait rien de sa situation, il semblait inutile de lui poser davantage de questions. Kei caressa son ventre.

Je ne sais pas ce qu'ils font à Hokkaidô, mais, s'ils sont là-bas tous les deux, mon enfant est forcément avec eux… Je ne pourrai jamais le voir…

Déçue, elle laissa tomber ses épaules. De toute façon, ce n'était qu'un pari. Elle tentait sa chance et n'en espérait pas davantage. S'il avait été facile de voir les gens qu'on voulait voir, tout le monde serait déjà allé dans le futur.

Par exemple, Fumiko Kiyokawa aurait donné rendez-vous à son petit ami dans trois ans dans ce café. S'il avait tenu sa promesse, ils auraient pu tout à fait se voir.

Mais toutes sortes de raisons peuvent nous empêcher de tenir une promesse. En voiture, on risque de se retrouver coincé dans des embouteillages. À pied, on peut être ralenti par des travaux de voirie ou par quelqu'un qui nous demande son chemin. On peut se perdre ou être bloqué à cause d'un orage. On peut avoir une panne de réveil ou se tromper d'heure de rendez-vous. Quoi qu'il en soit, on ne sait jamais de quoi l'avenir sera fait.

De ce point de vue, il n'était pas invraisemblable que Nagare et Kazu se trouvent à Hokkaidô, quelles que soient leurs raisons. Kei était étonnée de les savoir aussi loin, mais de toute façon, même s'ils avaient été à une station de train, ils n'auraient pas pu la rejoindre avant que son café ne refroidisse.

Elle aurait beau leur raconter ce qui s'était passé à son retour dans le présent, ça ne changerait pas la réalité selon laquelle ils seraient à Hokkaidô dans le futur. C'était une règle absolue, Kei le savait bien.

Elle avait perdu son pari, c'était tout.

En voyant les choses de cette manière, elle retrouva un peu son sang-froid. Elle but une gorgée de café et constata qu'il était encore assez chaud.

Il ne lui avait pas fallu beaucoup de temps pour voir les choses sous un autre angle. Cela faisait partie de son « talent pour le bonheur ». Elle avait des hauts et des bas émotionnels, mais elle n'était pas du genre à se morfondre éternellement.

Elle était déçue de ne pas voir son enfant, mais elle n'avait pas de regrets. Au moins, elle avait essayé, et elle était parvenue à aller dans le futur.

Elle n'en voulait ni à Kazu ni à Nagare. Pour des raisons impérieuses, ils n'avaient pas pu être là. Elle était sûre qu'ils avaient fait tout ce qu'ils pouvaient.

Pour moi, c'est une promesse qui date d'il y a quelques minutes, mais là où je suis, dix ans se sont écoulés. On n'y peut rien. Quand je retournerai dans le présent, je leur dirai que j'ai pu voir mon enfant…

Kei saisit le sucrier posé sur la table.

Ding-dong.

— Bienvenue, dit le patron.

Kei, qui était en train de sucrer son café, faillit l'imiter par réflexe. Elle ravala ses paroles et tourna son regard vers l'entrée.

— Ah, c'est toi. Ça va ? demanda l'homme.

— Oui.

Une jeune fille d'environ quatorze ou quinze ans, probablement une collégienne, venait d'entrer dans la salle. Elle portait une chemise blanche évasée, un short en jean et des sandales à lacets. Ses beaux cheveux noirs étaient attachés en queue-de-cheval avec une barrette rouge.

Oh… Mais c'est…

Kei reconnut aussitôt la jeune fille qui était venue du futur pour prendre une photo avec elle. La dernière fois, elle portait des vêtements d'hiver et ses cheveux étaient plus courts, mais Kei n'avait pas oublié ses adorables yeux ronds.

C'est donc ici qu'on a fait connaissance…

Lors de leur première entrevue, elle avait trouvé étrange qu'une inconnue vienne la voir du futur, mais si elles s'étaient rencontrées ici, alors tout s'expliquait.

— On a pris une photo ensemble, n'est-ce pas ? dit-elle à la jeune fille qui restait plantée à l'entrée.

— De quoi vous parlez ?

Elle la regardait d'un air perplexe. Kei comprit aussitôt son erreur.

Mais oui, bien sûr…

La jeune fille était allée lui rendre visite depuis un futur plus lointain. Il était normal qu'elle ne sache pas de quoi Kei lui parlait.

— Non, oublie, je n'ai rien dit…

Elle fit un grand sourire à la jeune fille, mais celle-ci semblait troublée. Elle inclina la tête et, sans rien ajouter, elle se dirigea vers l'arrière-salle.

Kei la suivit du regard avec un air enchanté.

Je me sens mieux, à présent…

Kei toucha la tasse et vérifia de nouveau la température.

Je vais donc sympathiser avec elle avant que ce café ne refroidisse…

À cette idée, le cœur de Kei battit plus fort. Se rencontrer en traversant un laps de temps de dix années, c'était fou.

La jeune fille réapparut.

Elle tenait dans la main un tablier lie-de-vin.

Mon tablier !

Kei n'avait pas oublié le but initial de sa visite. Mais inutile de se tracasser éternellement si ce qu'on appelait de ses vœux n'arrivait pas. Elle décida de sympathiser avec cette jeune fille avant tout.

Alors que celle-ci enfilait le tablier, l'homme sortit la tête de la cuisine.

— Pas la peine que tu me files un coup de main aujourd'hui. Il n'y a qu'une cliente…

Elle ne répondit pas et passa derrière le comptoir. L'homme n'insista pas et retourna dans la cuisine.

Hé, ho ! Coucou !

Kei agitait les bras pour attirer son attention, mais la jeune fille essuyait le comptoir en l'ignorant. Kei se demanda si c'était la fille de ce patron.

Tulululu… Tulululu…

Un téléphone sonnait dans l'arrière-salle.

— J'arrive, j'arrive…, dit Kei, qui faillit se lever avant de se raviser.

Comme la sonnerie du téléphone était la même qu'il y a dix ans, son corps avait réagi par réflexe. Elle avait manqué transgresser la règle qui interdisait de quitter sa chaise. Si elle s'était levée, elle aurait aussitôt été ramenée dans le présent. C'était une règle difficile à comprendre, mais Kei la connaissait, évidemment.

L'homme sortit de la cuisine en disant « J'arrive, j'arrive… ».

Kei s'essuya le front d'un geste exagéré et poussa un soupir de soulagement. Elle entendit la voix de l'homme :

— Allô ? Ah, bonjour… Comment ? Oui, en effet, elle est là… Ah, d'accord… Je vous la passe…

Il sortit brusquement de l'arrière-salle et alla porter le téléphone sans fil à Kei.

— Pour moi ?

— C'est Nagare, il veut vous parler…

En entendant le nom de Nagare, Kei arracha l'appareil de ses mains.

— Allô ! Qu'est-ce que tu fais à Hokkaidô ? Tu peux m'expliquer ?

Sa voix résonnait dans toute la salle. L'homme, qui ne semblait toujours pas comprendre ce qui se passait, retourna dans la cuisine d'un air confus. La jeune fille continuait d'effectuer ses tâches en silence.

— Comment ça, tu n'as pas le temps ? Mais c'est moi qui n'ai pas le temps !

Le café refroidissait à vue d'œil.

— Quoi ? Je ne t'entends pas bien ! Qu'est-ce que tu dis ?

Kei tenait l'appareil dans sa main gauche et se bouchait l'oreille droite de l'autre main. Il y avait du bruit à l'autre bout du fil et elle n'entendait pas bien.

— Quoi ? Une collégienne ?

Kei n'arrêtait pas de faire répéter Nagare.

— Oui, elle est devant moi. Tu sais, elle était venue du futur, il y a deux semaines, pour qu'on prenne une photo ensemble.

Kei tourna son regard vers la collégienne. Celle-ci avait interrompu sa tâche et baissait les yeux. Elle paraissait nerveuse. Kei se demanda ce qui lui arrivait, mais elle poursuivit la conversation. Elle avait besoin des explications de Nagare.

— Je te dis que je t'entends mal ! Quoi ? Qu'est-ce qu'elle a, cette fille ?

C'est notre fille.

À cet instant, l'horloge du milieu sonna dix coups.

Kei se rendit compte qu'il n'était pas quinze heures, comme elle le croyait, mais dix heures du matin. Le sourire s'effaça de son visage.

— Ah, d'accord... Merci, répondit-elle d'une voix faible.

Elle coupa le téléphone et le posa sur la table. Son visage si gai de tout à l'heure, quand elle se réjouissait à l'idée de discuter avec la jeune fille, était maintenant pâle et n'exprimait rien.

Kei toucha sa tasse. Elle était encore chaude. Elle regarda de nouveau la jeune fille, qui demeurait immobile.

C'est donc elle...

La confrontation avec son enfant était soudaine. Malgré le bruit, elle avait à peu près compris ce que Nagare lui avait révélé au téléphone :

Tu étais censée être transportée dix ans dans le futur, mais, par je ne sais quelle erreur, tu es arrivée quinze ans plus tard. Il y a probablement eu une confusion entre quinze heures dans dix ans et dix heures dans quinze ans. Tu nous l'as dit quand tu es revenue dans le présent, mais pour des circonstances indépendantes de notre volonté et que je n'ai pas le temps de t'expliquer, on est à Hokkaidô en ce moment. La fille devant toi est notre enfant. Je sais qu'il ne reste pas beaucoup de temps, mais admire bien notre fille qui, comme tu peux le constater, a bien grandi et se porte à merveille.

Nagare, qui savait que son temps était compté, avait raccroché aussitôt.

Mais, à présent que Kei avait appris que la jeune fille devant ses yeux était son enfant, elle ne savait plus quelle attitude adopter avec elle. Ce n'était pas de la confusion ou de la panique qu'elle ressentait, mais des regrets.

La collégienne avait sûrement été informée que sa mère viendrait au café ce jour-là. Mais Kei l'avait prise pour l'enfant d'un autre. Elle n'avait pas reconnu sa propre fille.

Le bruit des aiguilles, auquel Kei n'avait pas prêté attention jusque-là, semblait maintenant plus sonore. L'horloge tournait.

Elle n'avait pas de temps, c'était vrai. Mais le visage triste de la jeune fille semblait répondre à la question qui la taraudait : « La seule chose que j'aie pu faire pour toi, c'est te mettre au monde. Tu me pardonneras ? »

— Comment tu t'appelles ?

C'est tout ce qu'elle put dire.

Mais la jeune fille demeurait muette, la tête baissée. Son mutisme avait des allures de reproche. Ne pouvant plus supporter ce silence, Kei baissa la tête à son tour.

Quand soudain :

— Miki…

La jeune fille avait dit son nom, d'une voix triste et imperceptible.

Kei aurait voulu lui poser mille questions. Mais en entendant la petite voix de Miki, elle eut l'impression que celle-ci ne voulait pas lui parler, c'est pourquoi elle se contenta d'un « Ah… ».

Miki lui lança alors un regard noir et se précipita vers l'arrière-salle. Au même instant, l'homme sortit la tête de la cuisine.

— Miki ?

Mais la jeune fille l'ignora et disparut.

Ding-dong.

Une femme surgit dans le café. Elle était vêtue d'une chemise blanche à manches courtes, d'un pantalon noir et d'un tablier lie-de-vin. Elle avait dû courir sous la chaleur car elle haletait et transpirait à grosses gouttes.

— Oh…

Kei reconnut vaguement les traits d'une personne qu'elle connaissait. Elle prit conscience que quinze ans s'étaient bel et bien écoulés. Cette femme, elle l'avait vue au café l'après-midi même quand elle avait failli s'évanouir. C'était Fumiko Kiyokawa. Elle qui était si mince auparavant avait pris un peu de poids.

Dès qu'elle s'aperçut que Miki n'était pas dans la salle, elle demanda à l'homme sur un ton inquisiteur :

— Où est Miki !?

Fumiko savait-elle que Kei viendrait ce jour-là ? Elle semblait paniquée.

— Dans l'arrière-salle…, bredouilla l'homme, qui n'avait décidément pas l'air d'y comprendre quoi que ce soit.

— Pourquoi !? s'écria Fumiko en tapant des mains sur le comptoir.

— Je… je ne sais pas…

Il avait répondu sur un ton désolé, alors qu'il n'avait rien fait de mal. Il gratta sa cicatrice au-dessus du sourcil droit.

— Tu n'es pas possible…

Fumiko soupira, mais elle ne pouvait pas le blâmer. Elle-même était arrivée en retard en ce jour si important.

— Alors, c'est toi qui t'occupes du café, maintenant ? lui demanda Kei d'une voix faible.

— Oui, en quelque sorte… Vous avez parlé avec Miki ?

Sans prendre de pincettes, elle lui avait posé la question qu'elle voulait le moins entendre. Kei baissa les yeux.

— Vous avez pu avoir une conversation ? insista Fumiko.

— Eh bien…

Kei était confuse.

— Bon, je vais la chercher.

— Non, ce n'est pas la peine !

— Pourquoi vous ne voulez pas ?

— J'ai pu voir son visage, c'est amplement suffisant, répondit Kei avec effort.

— Mais…

— En plus, je crois qu'elle n'a pas très envie de me voir…

— Ce n'est pas possible !

Fumiko se montra catégorique :

— Miki voulait vous voir depuis longtemps. Elle attendait ce jour avec tant d'impatience…

— Ça veut dire que mon absence lui a causé du chagrin.

— Eh bien…

Fumiko, qui avait dû être témoin de la tristesse de Miki, ne pouvait la contredire.

— C'est bien ce que je pensais…

Kei saisit lentement sa tasse de café.

— Alors, vous allez rentrer sans lui avoir parlé ?

— Tu pourras lui dire que je suis désolée ?

De la colère se dessina soudain sur le visage de Fumiko.

— Là, je ne suis pas d'accord ! s'exclama-t-elle en s'avançant vers Kei. Alors, vous regrettez de l'avoir mise au monde ? Si vous vous excusez, ça revient à dire que vous auriez préféré qu'elle ne soit pas née.

Kei n'avait pas encore mis au monde son enfant. Mais elle allait le faire, il n'y avait là aucun doute. Elle secoua vigoureusement la tête.

— Je vais chercher Miki, d'accord ? lança Fumiko.

Kei ne put répondre.

— Bon, je l'appelle…

Fumiko disparut dans l'arrière-salle. Elle savait qu'il n'y avait pas de temps à perdre.

Qu'est-ce que je dois faire ?

Kei observa sa tasse de café.

Fumiko a raison. Mais je ne sais pas quoi dire à Miki…

La collégienne sortit lentement de l'arrière-salle. Fumiko la tenait par les épaules. Elle baissait la tête, refusant de regarder Kei.

— Allons, vous vous rencontrez enfin, l'encouragea Fumiko.

Miki…

Kei essaya d'appeler son nom, mais aucun son ne sortit de sa bouche.

— Allez, vas-y…

Fumiko retira ses mains des épaules de Miki et lança un regard à Kei, avant de disparaître sans bruit dans l'arrière-salle.

Miki fixait toujours le sol en silence.

Il faut que je dise quelque chose…

Kei lâcha la tasse et prit une grande respiration.

— Tu vas bien ? lui demanda-t-elle.

Miki leva légèrement son visage et répondit « Oui » d'une petite voix.

— Tu donnes un coup de main dans le café ?

— Oui.

Ses réponses étaient sèches. Kei avait la sensation que son cœur se brisait, mais elle continua :

— Nagare et Kazu sont à Hokkaidô, alors ?

— Oui.

Miki refusait toujours de regarder Kei. À chaque réponse, sa voix se faisait plus faible. Aucun sujet de conversation ne semblait l'intéresser. Sans trop réfléchir, Kei demanda :

— Et toi, pourquoi tu es restée ici ?

Zut…

Elle regretta aussitôt sa question. Car si elle avait dit ça, c'était dans l'espoir que Miki réponde que c'était pour la voir, elle s'en rendait bien compte. Honteuse, elle baissa les yeux.

C'est alors que Miki lui adressa la parole de sa voix fluette :

— Tu sais, je prépare le café pour les personnes qui s'asseyent là.

— Tu prépares le café ?

— Oui, comme Kazu… C'est mon travail…

— Ah…

— Oui…

Ne sachant que dire d'autre, Miki baissa la tête.

Kei n'avait qu'une question à poser, mais elle ne trouvait pas les mots.

La seule chose que j'aie pu faire pour toi, c'est te mettre au monde. Tu me pardonneras ?

Mais comment pouvait-elle se faire pardonner le chagrin qu'elle lui avait causé ? Par son attitude, Miki rejetait sa mère qui était venue la voir pour sa propre satisfaction.

Je n'aurais pas dû venir…

Ne pouvant plus regarder sa fille, Kei baissa les yeux sur sa tasse de café. La surface du liquide oscillait légèrement. La vapeur avait disparu et la température de la tasse indiquait que le temps des adieux était proche.

Que suis-je venue faire ici ? Cela avait-il un sens que j'aille dans le futur ? Non, je n'ai fait que tourmenter Miki. Quels que soient les efforts que je fasse à mon retour dans le présent, Miki éprouvera du chagrin. Ça ne changera pas.

De la même manière, Mme Kôtake et Mlle Hiraï étaient retournées dans le passé, mais le présent n'avait pas changé. Mme Kôtake avait pris la lettre et Mlle Hiraï avait revu sa sœur, mais la maladie de M. Fusagi continuait de progresser et Mlle Hiraï ne reverrait plus jamais Kumi.

C'est pareil pour moi… Quelque effort que je fasse, je ne pourrai pas changer ces quinze années durant lesquelles j'ai causé du chagrin à ma fille…

Kei était complètement découragée.

— Il ne faut pas que je laisse ça refroidir, dit-elle en prenant la tasse.

Je vais rentrer.

Mais Miki, qui se tenait il y a encore un instant au fond de la salle, était maintenant si proche que Kei aurait pu la toucher.

Elle reposa sa tasse et regarda son visage.

Miki…

Elle ne pouvait pas la lâcher des yeux. Sa fille était debout devant elle. Il lui aurait suffi d'allonger le bras pour la toucher.

Miki prit une profonde inspiration.

— Tout à l'heure…

Sa voix tremblait.

— Je ne suis pas partie parce que je ne voulais pas te voir…

Kei l'écoutait attentivement, sans même cligner des yeux. Miki poursuivit :

— Il y a une chose dont je voulais te parler depuis longtemps, le jour où on se verrait…

Kei avait tant de questions à lui poser, elle aussi…

— Mais maintenant que tu es là, je ne sais plus comment te le dire…

Kei ressentait la même chose. Elle avait si peur de la réaction de Miki qu'elle n'osait pas lui poser la question qui la taraudait tant.

— Alors, bien sûr, il y a eu des moments où j'étais triste, mais…

Les craintes de Kei se confirmaient. Rien qu'en imaginant sa fille seule, son cœur était sur le point de se briser.

Je ne peux rien changer aux moments de tristesse qu'elle a vécus.

— Mais…

Miki fit un pas vers sa mère et ajouta d'une voix timide :

— … je suis vraiment heureuse que tu m'aies donné la vie.

Parfois, il faut beaucoup de courage pour dire les choses importantes. Miki avait dû rassembler toutes ses forces pour exprimer ses sentiments à sa mère qu'elle rencontrait pour la première fois. Sa voix tremblait, mais elle avait été sincère.

De grosses larmes montèrent aux yeux de Kei.

Tout ce que j'ai pu faire, c'est te mettre au monde…

Miki pleurait aussi, mais elle essuya ses larmes de ses mains et montra à sa mère un visage empli de douceur.

— Maman…

Sa voix était un peu nerveuse, mais Kei l'avait entendue distinctement. Miki l'avait appelée « maman »…

Alors que je n'ai jamais été là pour toi…

Kei couvrit son visage de ses mains. Ses épaules tressautaient et elle sanglotait.

— Maman…

À la voix de Miki, elle se souvint que le temps pressait.

Elle releva la tête avec une expression pleine de tendresse, comme pour répondre aux sentiments de sa fille.

— Oui ?

— Merci de m'avoir mise au monde…

Miki, qui avait dit ça avec un grand sourire, fit le V de la victoire avec ses doigts. Kei ressentit soudain la joie immense d'être la mère de cette enfant. D'être la mère de la jeune fille qui se trouvait sous ses yeux. Elle ne pouvait plus retenir ses larmes qui affluaient.

J'ai enfin compris…

Même si le présent n'avait pas changé pour Mme Kôtake, elle interdisait désormais qu'on l'appelle par son nom de jeune fille et elle avait modifié son comportement vis-à-vis de M. Fusagi. C'était sa façon à elle de rester son épouse, même si elle disparaissait de sa mémoire. Quant à Mlle Hiraï, elle avait abandonné son bar pour retrouver la maison familiale. Elle apprenait les bases du métier à l'auberge et renouait petit à petit ses liens avec ses parents.

Ce n'est pas le présent qui a changé.

Mme Kôtake appréciait désormais ses conversations avec M. Fusagi. Même si leur situation était la même. Sur la photo que Mlle Hiraï avait envoyée, elle posait d'un air heureux avec ses parents. Même si sa sœur n'était plus là.

Ce n'est pas le présent qui a changé. Ce sont Mme Kôtake et Mlle Hiraï. En retournant dans le passé, leur cœur a changé.

Kei ferma lentement les yeux.

Obnubilée par ce que je n'avais pas réussi à accomplir, j'avais oublié le plus important.

Ces quinze dernières années, Fumiko avait été aux côtés de Miki pour combler l'absence de Kei. Nagare lui avait donné tout son amour en tant que père. Kazu l'avait couvée comme une mère et protégée comme une grande sœur. Ils lui avaient tous apporté leur soutien, dans l'espoir qu'elle grandisse heureuse.

Merci d'avoir grandi en si bonne santé. Le fait de te voir ainsi suffit à me combler de bonheur. Alors, laisse-moi te dire une chose… Ce sont là mes sentiments sincères…

— Miki…

Sans essuyer ses larmes, Kei la gratifia de son plus beau sourire et lui dit :

— Merci d'être ma fille…

*

Kei revint du futur le visage couvert de larmes, mais il était clair pour tout le monde qu'elle ne pleurait pas de tristesse.

Nagare poussa un soupir de soulagement. Mme Kôtake pleurait aussi. Quant à Kazu, qui semblait être au courant de tout, elle l'accueillit d'un chaleureux :

— Ravie de te revoir parmi nous.

Le lendemain, Kei fut hospitalisée et, le printemps suivant, elle donna naissance à une petite fille en parfaite santé.

*

En fin de compte, qu'on aille dans le passé ou dans le futur, le présent ne change pas. Dans ce cas, cette chaise a-t-elle vraiment un intérêt ? s'interrogeait le magazine sur les légendes urbaines.

Kazu avait sa propre théorie là-dessus :

Par sa force d'âme, l'homme peut surmonter la plus douloureuse des réalités. Cette chaise ne change peut-être pas le présent, mais si elle change le cœur des hommes, c'est qu'elle a sûrement une signification importante…

Mais ça, elle le gardait pour elle et, aujourd'hui encore, elle disait avec son visage impassible :

— N'oubliez pas de finir votre café avant qu'il ne refroidisse…

Découvrez un extrait du premier chapitre du nouveau roman de Toshikazu Kawaguchi :

Le Café du temps retrouvé

ROMAN TRADUIT DU JAPONAIS
PAR MATHILDE TAMAE-BOUHON

ALBIN MICHEL

KONO USO GA BARENAI UCHI NI
Publié chez Sunmark Publishing, Inc., Tokyo, Japon, 2017.

1

Le meilleur ami

Vingt-deux années durant, Gôtarô Chiba avait menti à sa fille.

« *Le plus difficile, dans la vie, est de vivre sans mentir* », disait Dostoïevski. Les gens ont toutes sortes de raisons de mentir. Certains le font pour se mettre en valeur, d'autres pour tromper leur monde. Si le mensonge peut parfois blesser, il arrive également qu'il sauve des vies. Dans la plupart des cas, cependant, les menteurs regrettent d'y avoir eu recours.

Gôtarô n'échappait pas à la règle, lui qui venait de passer les trente dernières minutes à faire les cent pas devant la porte d'un café où l'on pouvait remonter le temps, en répétant dans sa barbe : « Je n'avais pas eu l'intention de mentir. »

Le café en question se trouvait à quelques minutes à pied de la gare de Jinbôchô, dans une étroite ruelle perdue entre des immeubles de bureaux. Seule une pancarte indiquait sa présence : *Funiculi Funicula*.

Sans cette enseigne, personne n'aurait pu se douter qu'il y avait un café à cet endroit, car l'établissement se situait au sous-sol.

Gôtarô descendit les marches menant à la porte ouvragée devant laquelle il s'arrêta, marmonnant encore quelques mots avant de secouer la tête et de faire demi-tour, puis de se figer de nouveau au milieu de l'escalier, l'air songeur. Il fit plusieurs fois l'aller-retour ainsi, sans pouvoir se décider.

— Pourquoi ne pas poursuivre votre réflexion à l'intérieur ?

À ces mots, il se retourna en sursaut. Une femme menue se tenait devant lui, vêtue d'une chemise blanche, d'un gilet noir et d'un tablier de sommelier. Une employée du café, comprit aussitôt Gôtarô.

— Eh bien…

Alors qu'il cherchait ses mots, l'inconnue le dépassa pour descendre rapidement l'escalier.

Ding-dong.

L'écho de la clochette résonna dans l'air tandis qu'elle pénétrait dans l'établissement.

Elle ne l'avait pas forcé à la suivre. Il avait simplement cru sentir passer une brise fraîche, qui l'avait laissé avec une sensation étrange, comme si son cœur avait été mis à nu.

Si Gôtarô avait ainsi hésité dans l'escalier, c'est pour la simple raison qu'il n'était guère convaincu que ce café fût le célèbre « café où l'on peut remonter le temps ». Si la rumeur que lui avait rapportée son vieil ami, et à laquelle il avait cru, n'était qu'une histoire à dormir debout, Gôtarô serait bientôt un client des plus embarrassés.

Même s'il était vraiment possible d'y remonter le temps, il y avait, semble-t-il, quelques règles contraignantes à respecter. La première ? De retour dans le passé, quels que soient ses efforts, on ne pouvait changer le présent.

À quoi bon tenter le voyage, dans ce cas ? s'était demandé Gôtarô lorsqu'il avait pris connaissance de ce précepte.

Pourtant, le voilà qui se tenait devant la porte, avec une idée en tête : *J'ai tout de même envie d'essayer.*

La femme qui venait de passer avait-elle lu dans ses pensées ? Nul doute que sinon, elle lui aurait adressé une formule plus banale, un « Que puis-je faire pour vous ? » par exemple.

Au lieu de quoi, elle lui avait demandé : « Pourquoi ne pas poursuivre votre réflexion à l'intérieur ? »

Autrement dit : *Certes, vous pouvez retourner dans le passé, mais que diriez-vous de prendre votre décision une fois que vous serez entré ?*

Passé la question de savoir comment elle avait fait pour deviner ses intentions, Gôtarô ne put s'empêcher de nourrir une pointe d'espoir. D'une remarque anodine, cette femme avait achevé de le convaincre.

Avant même de s'en rendre compte, il avait pressé la poignée et ouvert la porte.

Ding-dong.

Gôtarô entra dans le café dans lequel, selon la rumeur, on pouvait remonter le temps.

*

Âgé de cinquante et un ans, Gôtarô Chiba était de stature robuste – souvenir de ses années de rugby, qu'il avait pratiqué au lycée et à l'université. Aujourd'hui encore, il portait des costumes XXL. Il vivait avec sa fille Haruka, qui allait fêter ses vingt-trois ans cette année et qu'il avait élevée seul. « Ta mère est morte de maladie quand tu étais petite », lui avait-Il expliqué. Elle l'aidait à présent à faire tourner la *Cantine Kamiya*, un petit restaurant à menu fixe situé à Hachioji, dans la métropole de Tôkyô.

La grande porte en bois ouvragé, haute de deux mètres, ne s'ouvrait pas directement sur le café même, mais sur un étroit vestibule. En face de lui, Gôtarô vit l'entrée des toilettes ; à sa droite, vers le milieu du couloir, il aperçut celle de la salle à proprement parler.

À l'intérieur, son regard croisa celui d'une femme assise au comptoir.

— Kazu, tu as du monde ! lança-t-elle aussitôt en direction de l'arrière-salle.

À ses côtés se tenait un petit garçon en âge d'aller à l'école. Une table, tout au fond, était occupée par une femme vêtue d'une robe blanche à manches courtes. Le teint pâle, la silhouette élancée, elle lisait un roman en silence, sans se soucier de son environnement.

— Asseyez-vous donc. La serveuse revient de faire une course, elle sera à vous tout de suite.

L'inconnue installée au comptoir s'adressait à Gôtarô comme à un client familier. Elle devait faire partie des habitués. Pour toute réponse, il se contenta de lui adresser un signe de tête poli. Il la sentait qui le dévisageait avec insistance, comme pour l'inviter à lui poser toutes les questions qu'il voulait au sujet de cet endroit. Feignant de ne pas l'avoir remarqué, il prit place à la table la plus proche de l'entrée et parcourut la salle du regard.

Trois immenses horloges antiques se dressaient le long du mur, hautes jusqu'au plafond. Un ventilateur tournait lentement, fixé à la croisée de poutres en bois naturel. Les murs en terre, d'une élégante teinte beige rappelant le *kinako*, cette poudre de soja grillé, étaient couverts d'une patine déposée là par les ans. Dénué de fenêtres, éclairé par la seule lueur de lampes à abat-jour suspendues au plafond, le sous-sol baignait dans une ambiance sépia.

— Bienvenue !

La femme croisée plus tôt devant le café émergea de l'arrière-salle et posa un verre d'eau devant Gôtarô.

Elle s'appelait Kazu Tokita. Ses cheveux mi-longs attachés en queue-de-cheval, vêtue d'une chemise blanche agrémentée d'un nœud papillon, d'une ceinture et d'un tablier de sommelier noirs, elle travaillait comme serveuse au café *Funiculi Funicula*.

Avec son teint pâle et ses yeux en amande, elle avait des traits gracieux mais banals. Si l'on fermait les paupières après l'avoir vue une seule fois, on était bien en peine de se rappeler à quoi elle ressemblait. C'était une jeune femme plutôt effacée, qui allait sur ses vingt-neuf ans.

— Ah, est-ce bien ici que… comment dire… bredouilla Gôtarô, confus.

Comment aborder le sujet, au juste ? Kazu posa sur lui un regard franc, puis fit volte-face avec grâce.

— À quel moment du passé souhaitez-vous retourner ? lui demanda-t-elle, le dos tourné.

Le gargouillis du café passant dans le siphon retentit depuis la cuisine.

Je m'en doutais, cette serveuse lit dans mes pensées…

L'odeur qui affluait dans la pièce réveilla en lui les souvenirs de cette fameuse journée.

*

C'est devant ce café que Gôtarô Chiba avait revu Shûichi Kamiya pour la première fois en sept ans. Étudiants, les deux hommes avaient évolué dans la même équipe universitaire de rugby.

À l'époque, Gôtarô avait perdu son logement et vu tous ses biens saisis après que la société d'un ami, pour laquelle il s'était porté garant, avait fait faillite. Il portait des vêtements sales et il sentait mauvais. Malgré tout, Shûichi ne semblait pas mécontent de le voir ; il s'était même félicité de cette rencontre fortuite.

C'est lui qui avait invité Gôtarô dans ce café, où il avait écouté son histoire.

— Tu devrais travailler dans mon restaurant, lui avait-il alors proposé.

Son diplôme universitaire en poche, Shûichi avait été recruté par une équipe de rugby professionnelle, mais sa carrière, brutalement écourtée par une blessure, n'avait même pas duré un an – après quoi il avait trouvé un emploi dans une chaîne de restauration à l'occidentale basée à Ôsaka.

Éternel optimiste, le jeune homme avait vu dans ce revers une opportunité ; travaillant deux, voire trois fois plus dur que quiconque, il s'était vite trouvé propulsé directeur régional, en charge de sept enseignes. À son mariage, cependant, il avait décidé de voler de ses propres ailes et d'ouvrir une petite cantine avec sa femme. L'affaire tournait bien, à présent, et manquait de personnel, disait-il.

Composition réalisée par Datamatics, Inc.

Achevé d'imprimer en France par
CPI BRODARD & TAUPIN (72200 La Flèche)
en août 2022
N° d'impression : 3049347
Dépôt légal 1re publication : septembre 2022
LIBRAIRIE GÉNÉRALE FRANÇAISE
21, rue du Montparnasse – 75298 Paris Cedex 06

57/7785/4